D1319865

DANS LA MÊME COLLECTION

LES SORCIERS DE LA VIE	Marie-Ange d'Adler et Marcel Teulade
LE MYSTÈRE WALDHEIM	Bernard Cohen et Luc Rosenzweig
UNE VIE DE FLIC	Bernard Deleplace
GUERRES SECRÈTES AU LIBAN	Annie Laurent et Antoine Basbous
DES PRISONS	Jean Favard
PENSER L'EUROPE	Edgar Morin
TERRORISME À LA UNE	Michel Wieviorka et Dominique Wolton
AU FRONT	Anne Tristan
CORPS À CORPS	Alain Emmanuel Dreuilhe
DES ARMES POUR L'IRAN	Walter De Bock et Jean-Charles Deniau
UN FRANÇAIS EN APARTHEID	Pierre-André Albertini
AGENTS DE MOSCOU	Alain Brossat
HOMO SPORTIVUS	Philippe Simonnot
DIEUX EN EXIL	Simonne Henry Valmore
PROFESSION PHOTOREPORTER	Michel Guerrin
LES MILLIARDS DE L'ORGUEIL	Bruno Dethomas et José-Alain Fralon
MOI, LA RÉVOLUTION	Daniel Bensaïd
LE CAUCHEMAR DES MANDARINS ROUGES	Liu Binyan
PREMIER CONTACT	Bob Connolly et Robin Anderson
L'HOMME STABLE	Jean-Marie Poursin
L'AUTRE MONDE	Anne Tristan
TIBET, MORT OU VIF	Pierre-Antoine Donnet
BOUKHARINE, MA PASSION	Anna Larina Boukharina
LE COMPLEXE CORSE	Gabriel Xavier Culioli
NOTRE AMI LE ROI	Gilles Perrault
COCAÏNE KIDS	Terry Williams
DOLL'ART	Philippe Simonnot

au Vif du Sujet

Collection dirigée
par Edwy Plenel

FRANÇOISE GASPARD

UNE PETITE VILLE EN FRANCE

au Vif du Sujet
GALLIMARD

© *Éditions Gallimard, 1990.*

A mes parents

REMERCIEMENTS

A Birgitta Hessel qui, en me donnant à relire le livre de W.S. Allen, a été à l'origine de cet ouvrage ; à l'abbé Villette, de Chartres et à Madame Édouard, de Dreux, qui ont accepté de relire les pages consacrées au passé de Dreux ; à *la République du Centre* qui m'a ouvert sa documentation.

« Six sympathisants d'extrême droite, armés de nerfs de bœuf, de battes de base-ball, d'une grenade au plâtre, de couteaux et d'une bombe lacrymogène qui déambulaient dans le centre ville lundi soir, aux cris de " Vive Le Pen ", " les Arabes dehors ", " la France aux Français " ont agressé neuf jeunes gens (tous Français...) du foyer de jeunes travailleurs Saint-Jean, rue Godeau à Dreux. Bilan : deux blessés dont une jeune fille frappée à coups de " Doc Martens "... ces fameuses chaussures tant prisées des skins parce qu'elles sont munies d'une coquille de protection en fer... Les policiers ont ramassé les six loubards rue Godeau, vingt minutes après les faits, à 21 h 50. Interrogés toute la nuit, ils ont reconnu leurs exactions et se sont présentés comme des sympathisants du Front National. »

L'Écho républicain – 6 décembre 1989

La veille de cet incident, Marie-France Stirbois, membre du Front National, venait d'être élue députée de la deuxième circonscription d'Eure-et-Loir avec 61,3 % des suffrages exprimés.

Revisiter Dreux

Dreux est une petite ville blottie au cœur de la France. Pour l'automobiliste qui vient de Paris et se dirige vers Brest, elle marque insensiblement, à moins d'une heure de route de la capitale, le passage de l'Île-de-France à la Normandie. Celui qui vient de Rouen et se dirige vers la Loire entre dans la Beauce dès qu'il quitte Dreux. L'un comme l'autre doivent cependant se montrer attentifs : les transitions sont douces et Dreux se cache. Implantée au fond de trois vallées, celle de l'Avre, celle de l'Eure et celle de la Blaise, petite rivière qui la traverse, la modeste sous-préfecture du département d'Eure et Loir se dissimule au regard du voyageur pressé. Des panneaux aux frontières de la commune lui indiquent qu'il entre à Dreux puis, quelques kilomètres plus loin, qu'il en est sorti, mais il n'a guère eu le temps de s'en apercevoir... Seuls les immeubles banals de sa périphérie – qui pourraient être ceux de la banlieue d'Évreux ou de Chartres – signalent son existence.

Dreux une petite ville ? L'adjectif peut être contesté. Dreux est en effet classée, selon les critères français de hiérarchisation des communes, parmi les « villes moyennes » car elle compte un peu plus de 30 000 habitants, seuil au-delà duquel une commune cesse, en France, d'être « petite »

17

pour entrer dans la catégorie intermédiaire. Les 30 000 habitants ont été dépassés dans l'allégresse des années de prospérité, vers 1970. Mais en 1982, ce n'est pas sans mal que la ville a pu démontrer qu'elle n'était pas redevenue « petite »... L'enjeu était de taille, car de celle de la ville dépendaient non seulement les aides financières de l'État, mais aussi les émoluments des fonctionnaires municipaux.

En 1990, les responsables de la cité ont connu les mêmes inquiétudes. L'appel lancé aux Drouais dans la presse régionale à la veille des opérations du dernier recensement par un responsable de l'administration a pu surprendre, compte tenu du climat politique de la ville : tous les habitants étaient invités à faire preuve de patriotisme local en se prêtant de bonne grâce à la visite de l'agent recenseur, tous, même les clandestins : « Les travailleurs clandestins ont tout intérêt aussi à répondre car ils rendront service à la ville de Dreux. Plus le nombre d'habitants sera élevé et plus les retombées seront intéressantes [1]. » Vive les étrangers, quand leur nombre rapporte ! Les premières estimations de ce dernier recensement donnent à Dreux 35 000 habitants environ. Elle n'en reste pas moins une petite ville. Il y a trente ou quarante ans, la cité comptait seulement 12 000 ou 15 000 habitants. Le gros bourg d'hier et d'avant-hier n'a pas disparu. Il demeure un lieu vivant de mémoire, avec ses humeurs, ses rumeurs, ses nostalgies ; s'ajoutent à celles-ci, aujourd'hui, ses angoisses, ses peurs, ses colères. La petite ville vit toujours, au sein de la « ville moyenne ».

Inconnue ou presque à l'aube des années 1980, Dreux est devenue subitement célèbre. Les télévisions du monde entier y ont dépêché leurs équipes. Un prestigieux magazine américain, le *New Yorker*, lui a consacré une longue étude [2].

1. *L'Écho républicain*, 4 mars 1990.
2. *New Yorker, février 1986.*

On évoque son nom dans les rencontres entre les grands de ce monde [1]. Quand un voyageur passe par là, des événements, des noms, des images lui viennent désormais à l'esprit.

Cette célébrité récente, Dreux ne la doit ni à son fromage ni à ses monuments historiques ni à quelque géniale invention d'un de ses enfants. Sa réputation, elle la doit aux scores électoraux qu'y obtient l'extrême droite depuis une dizaine d'années. Des scores que chaque élection corrige en hausse.

En dehors d'un important dossier de presse composé de reportages rédigés dans le feu de l'actualité et d'éditoriaux inspirés par le contexte politique national, on ne dispose d'aucune étude sérieuse sur Dreux. Aucun chercheur, politologue ou sociologue, n'a jusqu'à présent choisi de regarder cette ville de près pour comprendre au terme de quel processus ce bourg tranquille, ancré dans une tradition très Troisième République, est devenu l'épouvantail qu'on agite lorsqu'on veut signaler que la démocratie est en danger. Dreux, en même temps, est toujours décrite comme constituant un « cas » : ce qui y est arrivé, ce qui y arrive ne serait pas transposable ailleurs en France. Dreux serait une ville « particulière ».

En 1983, lorsque les électeurs drouais ont accordé 16,7 % à une liste du Front National à l'occasion d'une élection partielle, on a vu les spécialistes des sondages se bousculer pour affirmer, avec le poids que leur confère la détention d'un savoir quelque peu mystérieux (mais paré de l'aura de la science mathématique aidée par l'informatique), qu'il n'y avait pas lieu de s'inquiéter : l'extrême droite en France,

1. Lors du sommet européen de Strasbourg, en décembre 1989, le chancelier Kohl, dans ses conversations avec le président français, aurait fait allusion aux résultats obtenus par le Front national à Dreux, le dimanche précédent : « Que penseraient les Français ». Aurait-il dit en substance. « Si un parti d'extrême droite obtenait de tels résultats en R.F.A. ? »

toutes les enquêtes le montraient, ne dépassait pas 2 % des suffrages exprimés [1]. A Dreux donc, si ce petit parti, expression d'une opinion marginale, avait obtenu un score qui dérangeait les appareils partisans au point de provoquer des désordres et des reclassements sur l'échiquier politique national, c'était en raison de données locales « spécifiques » : immigrés nombreux, contexte d'élection partielle qui permet aux électeurs de se défouler puisqu'il n'y a pas d'enjeu national à la clé, rivalités politiques locales...

Entre septembre 1983 et mars 1989, les scores de l'extrême droite à Dreux ont été noyés dans la masse des résultats nationaux. En juin 1984, le Front National dépassait largement, aux élections européennes, la barre des 5 % : la liste de Jean-Marie Le Pen obtenait 11 % des suffrages exprimés. Les élections législatives de 1986 où, en raison du scrutin proportionnel qui venait d'être institué par la gauche, le Front National obtenait, avec 9,65 % des suffrages exprimés, 35 élus, et surtout l'élection présidentielle de mai 1988 où le leader de l'extrême droite remportait au premier tour 14,4 % des suffrages exprimés, confirmaient l'existence d'une force politique nouvelle et faisaient oublier Dreux. De Marseille à Roubaix en passant par Mulhouse, les scores de Dreux étaient, dans bien des villes, dépassés. Il fallait s'y résoudre : le vote pour l'extrême droite n'était pas un produit local mais un fait national.

C'est alors la thèse de la « flambée » qui a prospéré. Chacun a fait référence au passé : l'extrême droite, comme à d'autres époques de notre histoire – 1934 avec les Ligues,

---

1. Selon Jérôme Jaffré, directeur des études à la S.O.F.R.E.S. cité dans *Libération* du 8 novembre 1983. Quelques mois avant les élections européennes de juin 1984 où le parti de Jean-Marie Le Pen obtint 11 % des suffrages exprimés, les politologues persistaient à minimiser le poids du Front national dans l'opinion. Ainsi, le professeur René Rémond, comparant le Front national au poujadisme et rappelant les 12,5 % obtenus par les listes d'Union et de Fraternité françaises, concluait : « On en est encore loin. » (*Le Point*, 13 février 1984).

1956 avec le poujadisme – s'était embrasée sur le terreau de la crise. Ce n'était qu'un mauvais moment à passer, un « coup de chien » à essuyer, que la croissance revenue emporterait... Historiens, démographes, sociologues ont établi des corrélations savantes qui tendaient à montrer que, tout en étant inquiétant, le « mal » touchait principalement les villes « à problèmes », les zones de forte immigration... Cette thèse rassurante fut d'autant plus facilement admise que le retour au scrutin majoritaire éliminait ou presque, en 1988, le Front National de l'hémicycle du Palais-Bourbon. Avec une seule élue, rescapée d'une élection triangulaire, le Front National semblait avoir perdu son audience nationale. De sucroît, la machine parlementaire jouant son rôle, Yanne Piat fut rapidement absorbée par le groupe R.P.R. Les élections municipales de mars 1989 semblèrent en outre confirmer que la géographie du Front National se confondait avec celle des villes qui connaissaient des difficultés.

En novembre 1989, Dreux a vu une nouvelle fois converger sur elle les projecteurs de l'actualité. En même temps que Marseille qui votait également pour des élections législatives partielles. Dans les deux circonscriptions, les candidats socialistes, à la surprise générale, ont été mis hors jeu au soir du premier tour. Au second tour, à Dreux, une députée du Front National a été élue alors que l'ensemble de la classe politique, ainsi que les politologues, avaient jusque-là estimé que le scrutin d'arrondissement interdisait – sauf dans le cas d'une « triangulaire » – l'élection d'un candidat du Front National.

Le précédent de 1983 qui avait fait de Dreux le signe avant-coureur d'un mouvement dont on avait alors minimisé l'ampleur allait-il rendre, cette fois, les commentaires prudents ? Ce qui s'était passé dans cette circonscription d'Eure-et-Loir, ce qu'avaient confirmé les résultats de Mar-

21

seille mais aussi ceux d'autres scrutins locaux [1], fournissait-il une indication sur l'évolution du Front National dans l'électorat français? Non, ont répondu en chœur les experts. Pour François Goguel, l'un des pères de la science politique, « le rôle du facteur personnel a été déterminant ... Le fait qu'à Dreux le Parti socialiste n'ait pas présenté Françoise Gaspard ... a été un mauvais calcul [2] ». Pour Jérôme Jaffré, vice-président de la S.O.F.R.E.S., analysant les résultats de Dreux et de Marseille, « toute la France ne se résume pas à ces deux villes » qui sont « depuis l'émergence du phénomène des hauts lieux du Front National [3] ». Dreux, avec ses immigrés et ses querelles politiques intestines, continuait d'apparaître comme atypique, une sorte de petite Marseille du nord de la Loire.

Les analystes persistent à parler de Dreux depuis Paris. Et l'opinion en reste aux impressions engrangées à la lecture d'articles de journaux ou de quelques revues dont la rigueur est parfois si contestable que même les chiffres cités sont faux [4]. Tout se passe comme si les chercheurs redoutaient de découvrir, en venant à Dreux, le résumé des problèmes auxquels la France est confrontée dans la dernière décennie de ce siècle. « Dreux la maléfique » [5], titrait un hebdomadaire au lendemain du scrutin de décembre 1989. Craindrait-on qu'elle le soit vraiment?

Je n'ai pas eu à faire « le voyage de Dreux ». Je suis née dans cette ville où mes racines remontent loin dans le temps.

1. Le jour où Marie-France Stirbois était élue en Eure-et-Loir, un candidat du Front national, dans un canton jusque-là socialiste, à Salon-de-Provence, dans les Bouches-du-Rhone, battait un socialiste dissident; dans le Finistère et dans le nord, deux autres élections cantonales confirmaient la poussée du parti d'extrême droite.
2. *Le Figaro*, 28 novembre 1989.
3. Idem.
4. C'est notamment le cas d'un article publié, en février 1990, dans la revue *Esprit*, sous la signature d'Olivier Roy, dans lequel des données aussi simples à vérifier que des résultats électoraux sont erronées.
5. *L'Événement du jeudi*, du 30 novembre au 6 décembre 1989.

J'ai exercé à Dreux des responsabilités politiques. Étais-je la mieux placée, compte tenu des liens que j'entretiens avec la ville, pour reconstituer la genèse d'un fait politique ? Je me suis, un moment, posé la question. Je l'ai tranchée, en conscience. Parce que aucun autre chercheur n'a manifesté l'intention de venir regarder cette ville de près. Parce qu'il n'existe pas de sociologue ou d'historien « pur » de toute attache territoriale, philosophique, religieuse ou politique. En l'occurrence, mes engagements sont connus.

Si je me suis décidée à écrire ce livre, c'est aussi parce que, depuis 1983, j'ai à la mémoire celui du sociologue américain W.S. Allen : *Une petite ville nazie* [1]. L'auteur y décrit, en historien, comment, jour après jour, de 1930 à 1935, le Parti national-socialiste a fait son trou dans une petite ville allemande. Une petite ville exemplaire à sa manière. En 1983, une de mes amies, militante socialiste, professeur dans un collège de Dreux et qui avait été élève de l'Institut d'études politiques de Paris dans les mêmes années que moi, avait posé sur mon bureau ce livre qui avait été, pendant nos études, une de nos lectures obligées. Je l'avais relu. Or, année après année, j'ai eu, à Dreux, l'impression de vivre quelque chose qui ressemblait à ce qui s'était passé dans les années 1930 à Thalburg [2].

Dreux n'est pas, bien entendu, Thalburg; la France de 1990 n'est pas l'Allemagne de 1930; le Front National n'est pas le Parti nazi et Le Pen n'est pas Hitler; enfin, je ne suis pas W.S. Allen. Mais devant l'ampleur du score réalisé par le Front National en décembre 1989, j'ai éprouvé le besoin, sans attendre que vienne le temps des historiens, de revisiter Dreux. Je me suis replongée dans son histoire à laquelle je

1. W.S. Allen, *Une petite ville nazie, 1930-1935*, Robert Laffont, 1967.
2. Sous le nom de Thalburg, inventé par l'auteur, se cache en réalité la ville de Northeim, en Basse-Saxe. Au moment de la sortie de la traduction de l'ouvrage en Allemagne, *Der Spiegel* avait révélé la véritable identité de la ville.

m'étais déjà frottée pour le XIXᵉ siècle et la période de l'entre-deux-guerres. J'ai relu ce que la presse nationale avait dit de Dreux, dépouillé la presse locale depuis une quinzaine d'années. J'ai regardé attentivement les recensements de la population. J'ai analysé, scrutin après scrutin, les résultats électoraux. J'ai établi une chronologie, construit des courbes. Et rédigé les pages qui suivent.

Ce livre n'est pas un témoignage. Il eût cependant été factice de ne pas y dire, quelquefois, « je ». Je l'ai fait, par honnêteté et par nécessité, lorsque j'ai été impliquée en tant que témoin ou en tant qu'actrice de la vie locale. Je n'ai pas, en revanche, étudié les politiques municipales qui se sont succédé dans la ville. Par scrupule, puisque j'encours sur ce terrain le risque de subjectivité, mais surtout parce que j'ai la conviction que leur rôle est secondaire. Les grandes tendances économiques et sociales, le poids des politiques nationales en matière d'aménagement du territoire, enfin les mouvements profonds qui traversent la société française ont beaucoup plus façonné Dreux.

Mon objectif n'a pas été davantage d'écrire un essai sur le Front National, son idéologie, ses électeurs, mais de comprendre ce qui s'est passé dans cette ville, celle qui a marqué, pour l'extrême droite, « la case départ » d'une ascension qui se poursuit. A l'origine, j'ai posé une hypothèse : que Dreux est une petite ville française comme une autre, dont le présent s'inscrit dans une évolution commune à toute la nation.

De même que l'histoire ne se répète jamais à l'identique, de même, dans l'instant, ce qui se passe ici n'est jamais tout à fait semblable à ce qui se passe ailleurs : Dreux est Dreux et non Agen ou Troyes. Pourtant, au terme de l'examen, Dreux apparaît davantage exemplaire que singulière; parce que Dreux, Agen et Troyes, quelles que soient leurs spécificités, ont en commun quelque chose qui est au moins aussi fort que ce qui les différencie : leur appartenance à la communauté nationale ; parce que le vote extrémiste n'est qu'un des symptômes parmi d'autres de la crise de la société française.

Alfred Grosser ouvrait, en 1967, sa préface au livre de W.S. Allen ainsi : « Wie Konnte es geschehen ? Comment cela a-t-il pu arriver ? La question continue à être posée sans cesse, en Allemagne et hors d'Allemagne, surtout par les jeunes générations qui arrivent à l'âge de raison et découvrent ce que fut le nazisme. »

Les jeunes qui découvraient dans les années 1960 ce qu'avait été le nazisme ont aujourd'hui atteint l'âge des responsabilités. En novembre 1989, ils ont vu dans la chute du mur de Berlin comme le signal de l'achèvement d'un siècle, celui de l'holocauste et du goulag. Les idéologies depuis longtemps déjà vacillaient. Les « ismes » – socialisme, libéralisme, sans parler de stalinisme, de nazisme ou de fascisme – appartenaient à l'histoire. Restait la démocratie. Quelques semaines plus tard, le 4 décembre 1989, ils ont lu dans leur journal qu'une petite ville de France, Dreux, avait voté massivement pour un parti qui portait en lui la mort de la démocratie.

Comment en est-on arrivé là ?

I

Des « accourus » dans la ville

Sur les routes venant de Paris, d'Alençon ou de Chartres, à la limite urbaine, un panneau mettait récemment encore l'accent sur le passé de la cité et déclinait les curiosités locales : « Dreux, ville royale, son église, sa chapelle, son beffroi, son musée ». La pancarte défraîchie semblait n'être là que par habitude, remplissant son rôle sans illusion. Une autre l'a remplacée. Sur fond de chapelle royale, elle proclame : « Dreux, Nouveau Visage ». L'information ne peut manquer d'intriguer le passant. De quel nouveau visage s'agit-il ? De celui que l'alliance entre la droite et l'extrême droite a donné à Dreux en 1983 ? Le magazine publié par la ville s'appelle lui aussi, depuis 1984, « Dreux, Nouveau Visage ». Sur sa une en papier glacé, une photo en couleurs : dans le parc de la mairie, un couple et un enfant. L'homme a entre trente et quarante ans. Il est brun – mais non méditerranéen. On peut imaginer qu'il est cadre. La femme est blonde et souriante. Sans doute mère au foyer.

Les images se mêlent, se brouillent. Où est donc Dreux ? Si le voyageur est curieux, il « descendra en ville » comme on dit localement, puisqu'il faut descendre pour atteindre le centre ancien qu'encore aujourd'hui on appelle « la ville ». Puis sa visite se poursuivra en remontant vers la périphérie.

29

Chemin faisant, il découvrira que Dreux est, à partir de son centre, faite de strates successives qui se sont superposées, un peu comme on représente les couches sédimentaires sur une coupe géologique. Et qu'en raison d'un « accident » géologique récent, un sédiment d'une importance exceptionnelle s'est déposé sur les plateaux, encerclant le creux qui se défend de lui en le rejetant.

Pour commencer à comprendre la ville, sa population, ses mentalités, ses visages, ce sont ces strates qu'il faut examiner attentivement.

Dreux, ville royale...

Au centre, les cinq ou six derniers siècles affleurent dans le pavé des rues, les pierres des monuments, les solives apparentes des vieilles maisons. Et il suffit de gratter un peu le sol pour faire resurgir des traces gauloises, des voies romaines, des signes de l'existence d'un groupe humain sédentarisé, il y plus de 2 000 ans, dans le creux de cette petite vallée où un bourg puis une ville allaient se développer. Ce « centre historique » résumait encore, il y a moins d'un siècle, la ville tout entière.

« Dreux, son église... » L'étonnant n'est pas qu'il y en ait une, on serait au contraire surpris qu'il n'y en ait pas. Mais Saint-Pierre n'est pas une cathédrale. Tout juste une construction plutôt laborieuse, commencée au XIIIᵉ siècle, qui a mis cinq siècles pour devenir ce qu'elle est. Rien dans son aspect ne retient particulièrement l'attention sinon ce qui lui manque et lui donne un air inachevé, la mettant bizarrement à l'unisson de la ville : la tour Sud n'a jamais été terminée.

Le beffroi, tout proche de Saint-Pierre, est d'une autre

facture que l'église et mérite le détour. Il devrait faire la gloire de la ville. Curieusement les guides touristiques le signalent à peine. Les Anglais venant de Dieppe et descendant vers le Midi sont nombreux à contourner Dreux pour filer, à travers la Beauce, jusqu'à Chartres et sa cathédrale. Ils manquent ainsi un sujet d'émerveillement. Au XVIe siècle, quand on l'a construit, le beffroi a dû choquer plus d'un habitant par sa modernité. J'ignore ce qui a poussé les bourgeois d'alors à faire preuve d'une telle audace. On peut supposer que cette magnifique tour carrée, plantée au cœur de Dreux, a suscité, lors de son édification, des polémiques acharnées. Sa structure architecturale résume les conflits de style de l'époque. Le premier étage est gothique flamboyant. Le deuxième appartient à ce qu'on appelle le gothique « de transition ». Le troisième, de style Renaissance, marque une rupture étonnante. Clément Métezeau, Drouais et le premier d'une grande lignée d'architectes français, fut un de ses auteurs. Mais juste au-dessus, les combles renouent avec le gothique, c'est-à-dire avec ce qui était, en ce temps-là, le conformisme. Les novateurs avaient-ils été jugés trop audacieux ? Pour l'observateur d'aujourd'hui, l'ensemble paraît aussi harmonieux qu'élégant. Et une restauration récente a permis d'éliminer les « améliorations » qu'un émule de Viollet-le-Duc avait, dans les années 1870, cru bon d'ajouter au monument. Celui-ci a pendant plus de trois siècles fait fonction d'hôtel de ville de la cité.

Le commanditaire du beffroi, l'échevin Nicolas de Gravelle, et ceux qui ont mené à bien sa construction à partir de 1512 ont assurément contribué à forger une partie de l'identité de la cité. Sans le beffroi, la Grande Rue n'existerait pas, et sans sa Grande Rue que serait Dreux ? On sent d'instinct que ce monument superbe n'est pas seulement beau, mais insolent aussi. Il exprime la volonté des marchands du

XVIe siècle d'affirmer leur puissance face au pouvoir royal. Le message de la bourgeoisie avait alors quelque chose de révolutionnaire, et la gauche locale a souvent adopté le beffroi comme emblème.

« Dreux, ville royale » ! Elle n'est pas la seule... Anet, bourgade du nord de l'arrondissement, dont le château est un joyau de la Renaissance, les villes de la Loire, voisines du sud du département, furent des résidences royales. Mais Dreux a davantage que d'autres le droit de revendiquer ce titre. C'est en 911 que le roi Charles III, en signant le traité de Saint-Clair-sur-Epte, a voulu régler la question normande. Son but : mettre un terme aux incursions des Vikings dans le royaume de France. La Normandie était cédée aux Normands, Dreux restait en France. Ville frontière, place forte aux marches de la Normandie de Rollon, elle commandait l'entrée dans le royaume. Devenue domaine royal, elle a été donnée symboliquement en apanage au frère du roi. Mais le prix du traité signé par Charles III – dont l'histoire a retenu qu'on l'appelait Charles le Simple – fut exorbitant. Au cours des trois siècles suivants Dreux fut constamment disputée. Elle devint le théâtre de combats meurtriers et de sièges qui affamèrent la population. La paix ne revint qu'avec la victoire de Philippe Auguste à Château-Gaillard en 1204, et pour un siècle seulement.

La famille royale est restée fidèle à Dreux, gardienne vigilante du royaume. Le duc de Penthièvre, descendant légitimé de Louis XIV et dernier comte de Dreux juste avant la Révolution, aimait la ville. Il avait décidé de faire de la collégiale Saint-Étienne de Dreux la nécropole de sa famille et demandé à être enterré là. Sa fille, Marie-Adélaïde, épouse de Philippe Égalité, venue se recueillir sur les tombes de ses ancêtres à son retour d'exil, en 1814, les a retrouvées saccagées, dispersées. Elle a entrepris de bâtir, dans l'enceinte du vieux château médiéval, une nouvelle nécropole. En 1816, accompagnée de son fils, le futur roi Louis-Philippe, elle posait la première pierre de cette chapelle royale de Dreux où reposent désormais, autour du roi-citoyen, toute la lignée des Orléans. D'une certaine manière, je dois à Marie-Adélaïde d'être née drouaise. Mon aïeul paternel, tailleur de pierre, compagnon du tour de France, s'est installé dans la ville où la famille d'Orléans l'aurait embauché pour tailler les ébauches des gisants. Il a fait souche tout près de la chapelle, dans la maison où j'ai grandi. Son fils a fondé, en 1869, une marbrerie où mon frère, à la cinquième génération, prolonge la tradition.

Pour les habitants de Dreux, cette curieuse chapelle construite par Lefranc, gros dôme posé sur le sol, fait partie du paysage. Impossible de ne pas la voir, elle est construite sur une éminence. Lorsqu'on se promène dans la Grande Rue, il suffit de tourner le dos au beffroi pour l'avoir tout entière dans son champ de vision. Pourtant, les Drouais l'ignorent superbement et s'entêtent à bouder l'héritage royal de la ville. Le comte de Paris s'en plaint souvent, déplorant que ses efforts pour promouvoir le domaine royal restent vains. Aujourd'hui même, sa belle-fille et son héritier occupent dans l'indifférence générale la grande bâtisse flanquée de tours qui surplombe le centre ville et semble veiller sur lui. Seule la lecture de *Jours de France*, chez le dentiste ou le coiffeur, rappelle occasionnellement aux Drouais que l'héritier du prétendant au trône réside là.

Bref, la ville a son église, son beffroi, sa chapelle royale. J'allais oublier son musée où me fascinaient, lorsque j'étais enfant, plus que les Glycines de Monet (il s'agit en vérité d'une étude), quelques armes d'époque mérovingienne. C'est que Dreux est décidément une petite cité comme beaucoup d'autres en France, avec quelques bâtiments de qualité : la sous-préfecture, qui préfère oublier qu'elle fut occupée par un futur président de la République dont la carrière administrative a commencé ici : Paul Deschanel, dans la mémoire populaire, est devenu un sujet de plaisanterie depuis qu'il est tombé d'un train en pyjama... Le tribunal, qui n'est plus que d'instance. La mairie, qui, du beffroi, s'est transportée, après avoir transité par un nouveau bâtiment plus commode, dans l'ancienne propriété de Madame Coche. Cette ci-devant baronne fut la dernière descendante de l'aristocratie locale et prenait la suite, dans cet hôtel particulier, des comtes d'Arjuson, riches propriétaires terriens de la région. Le fauteuil du maire de Dreux est aujourd'hui installé devant la cheminée de ce qui fut le grand salon de la demeure de cette famille. Je me souviens de la baronne Coche de la Ferté pour l'avoir aperçue depuis les fenêtres de la maison de mes grands-parents qui avaient une vue plongeante sur le parc de sa propriété. L'été, des domestiques véhiculaient la vieille dame dans une chaise à porteurs en osier. Celle-ci profitait ainsi du soleil sur la pelouse où, plus tard, élue maire, j'allais faire quelques pas avec mes visiteurs.

Druides, Durocasses et Drouais

Le panneau indiquant les curiosités de la ville situe Dreux, pour l'essentiel, dans une histoire moderne. L'église, le beffroi, la chapelle royale évoquent quelques siècles d'histoire, les quatre ou cinq derniers. Les origines de la ville sont évidemment bien plus anciennes.

« Autrefois notre pays s'appelait la Gaule et les habitants s'appelaient les Gaulois. » Nombreux sont encore les Français qui, au cours moyen, ont appris par cœur cette première phrase d'une leçon du « Petit Lavisse ». Si les ancêtres des Français sont les Gaulois, alors Dreux constitue le cœur de cette nation mythique sacralisée par les manuels scolaires de la Troisième République! Jusqu'à la fin du XIXᵉ siècle, on a cru dur comme fer que la ville avait été la capitale des druides et qu'elle devait son nom à ces derniers. Victor Hugo, en 1821, s'étonnait dans une lettre envoyée de Dreux à Alfred de Vigny, qu'il n'y ait ni dans la ville ni dans les environs « aucun monument druidique ». « Dreux, poursuivait-il, a donné son nom aux druides [1]... » Que la forêt de Dreux ait été un lieu d'établissement et de rassemblement des druides du pays des Carnutes n'est pas attesté. Pendant mon enfance encore, des fêtes se déroulaient au lieu-dit le « chêne Saint Louis ». Leur origine associait curieusement Saint Louis au souvenir de cérémonies secrètes des druides. A quand remontaient ces fêtes? Au temps des Gaulois comme le prétend un historien local [2]? C'est peu plausible!

Les rois francs ont tenu à répandre l'idée, pour asseoir leur légitimité, que le peuple du royaume était de leur « race »... Et les historiens des princes ont donné de la grandeur à cette « race » en lui construisant une origine « troyenne ». Ce mythe fondateur de la grandeur du royaume a prospéré jusqu'à la fin du Moyen Âge. On voit mal que les habitants de Dreux aient « résisté » pendant des siècles à la culture ambiante et continué de cultiver une soi-disant mémoire druidique alors que la France l'avait remisée. Les druides avaient d'ailleurs disparu de la Gaule sous le règne de l'empereur Claude, au milieu du Iᵉʳ siècle, sans laisser de traces écrites... Il n'empêche : en jouant sur la consonance du nom de la bourgade, ses habitants se sont un

---

1. Cité par Charles Maillier, *Dreux et le pays Drouais*, chez l'auteur, Dreux, 1958.
2. *Idem.*

jour inventé une tradition et ont « redécouvert » Gaulois et Druides. Quand ? On l'ignore. Ce que l'on sait, c'est qu'au xv° siècle, des chroniqueurs soucieux d'enracinement ont affirmé que Dreux avait été construite par les Gaulois, ce qui est vrai, et qu'elle avait été la patrie des druides, ce qui est pure fiction... « Dès qu'elle prend conscience d'elle-même une nation veut justifier son présent par son passé. En ce sens ce sont les historiens qui créent la nation. » Citant ainsi Jacques Guénée, Jacques Rossiaud ajoute : « Cette réflexion peut tout entière s'appliquer à la petite patrie que constitue la cité : il n'y a pas de cité sans histoire [1]. » Dreux, dans les Temps Modernes, s'est reconstruit une origine pour se construire une identité.

Au xix° siècle, les historiens, *Table de Peutinger* en main, ont tenté de remettre les pendules à l'heure : l'étymologie du nom de la ville, malgré les apparences, ne devait rien aux maîtres savants de la Gaule ancienne. En vérité, Dreux s'appelait Durocassium au temps des Romains, nom prétendûment issu de Duro Cath, qui voudrait dire, en langue celte, Fort de la rivière. Des Celtes, venus du Nord, se seraient installés dans la contrée environ cinq siècles avant Jésus-Christ. Si Dreux tirait son nom de ses origines celtes, il convenait d'abandonner cette appellation fallacieuse de « druides » et s'affirmer comme « Durocasses »... Ce nom compliqué imposé par des « savants » n'a eu d'autre succès que de faire disparaître la référence aux druides.

Les habitants de la ville se nomment aujourd'hui, banalement, Drouais. La légende et la mémoire qui entoure la légende, le mythe et l'histoire ont été oubliés. Dreux, à présent, ne revendique ni ses origines gauloises ni son nom celtique romanisé. Elle n'a plus de passé. Elle ne se souvient

---

1. Jacques Rossiaud, « Crise et consolidation, 1330-1530 », in *Histoire de la France urbaine*, sous la direction de Georges Duby, t. 2, *La Ville médiévale*, p. 583.

pas d'avoir été, comme le reste de la Gaule, débarassée de ses occupants germains par César et les Romains. D'ailleurs, à la différence de leurs voisins carnutes, les Durocasses passent pour n'avoir guère offert de résistance au vainqueur. Un « camp de césar » a été établi sur les lieux. Des routes ont été construites qui ont fixé le bourg et permis son développement. A l'occasion de travaux, on découvre encore de la monnaie du temps des Antonins qui atteste de l'existence d'une petite ville prospère au IIᵉ siècle. Mais les Romains n'ont pas été les derniers étrangers à s'installer dans la contrée : les Germains, soldats à la solde de Rome, ont probablement campé sur les lieux au IVᵉ siècle. Plus tard, les Vandales seraient passés par là avant que les Francs ne submergent le pays tout entier. Les Vikings ont tenté à leur tour de s'installer. En 889 leur incursion fut loin d'être pacifique, assurément moins que ne l'est celle des travailleurs en quête d'emploi venus au XXᵉ siècle... Après avoir échoué devant Paris, ces Vikings ont pillé et brûlé la ville de Dreux. En y laissant certainement, après les Romains, les Germains et quelques autres de nombreux descendants... A l'aube de l'an mille, nos ancêtres les Gaulois étaient bien oubliés et la « race » locale enrichie par de multiples apports extérieurs.

Dreux a souvent été envahie, conquise, soumise par la force, disputée. Ce que l'on sait moins c'est à quel point elle fut mêlée aux origines des premières guerres franco-françaises des Temps Modernes. En 1407, c'est l'assassinat, en pleine rue à Paris, du duc Louis d'Orléans auquel son frère, le roi Charles VI, a donné en apanage le comté de Dreux, qui déclenche ce qui va devenir la guerre des Armagnacs et des Bourguignons. Jean sans Peur, duc de Bourgogne, a armé le bras du meurtrier de Louis. Le fils de Louis se réfugie à Dreux. Pour venger son père, il dispose des mercenaires du comte d'Armagnac, son beau-père. La guerre fait rage. Dreux n'a pas eu le choix : son prince l'a rangée dans le camp des Armagnacs. En 1412, elle est sous le feu des Bourguignons. Pendant quatre jours, ces derniers bombardent les remparts de la ville, puis l'envahissent et la mettent à sac.

Deux siècles et demi plus tard, Dreux, encore, est le théâtre de la bataille qui inaugure de façon sinistre plus de trente années de guerres de Religion. Depuis le début de 1562, les esprits sont surexcités. Catholiques et réformés s'exaspèrent mutuellement. La régente, Catherine de Médicis, tente en vain de ramener la concorde entre les deux camps qui divisent la cour royale elle-même. Le 1er mars, le duc de Guise, chef du parti catholique, prend à partie des protestants. L'échauffourée devient massacre et ce massacre de Wassy un point de non-retour : les morts doivent être vengés. Quelques mois plus tard, le prince de Condé, calviniste, occupe Orléans avec ses troupes. Il est décidé à remonter vers Rouen pour opérer sa jonction avec les Anglais. Ce n'est plus seulement la paix civile qui est en question, mais l'intégrité du royaume. La régente envoie alors l'armée royale pour tenter d'arrêter l'armée calviniste. Le 18 décembre, les catholiques Montmorency et Guise dorment au château de Mézières, à deux pas de Dreux. De cette vaste construction, il ne reste aujourd'hui qu'un morceau de tour qui forme l'angle de la petite maison où j'écris ces pages. L'armée calviniste, dirigée par l'amiral de Coligny et le prince de Condé, campe à une lieue. Le lendemain, la bataille s'engage. Elle est longtemps si incertaine que Catherine, depuis Rambouillet d'où elle suit le déroulement du combat, se résigne un moment, avec réalisme, au triomphe des protestants : « Eh bien! soupire-t-elle devant Brantôme, tant pis! nous entendrons la messe en français. » Le soir même cependant, l'arrivée triomphante de Guise comble de

joie le parti catholique : c'est en latin qu'on dira la messe!
Condé est prisonnier. Il dort sous bonne garde dans les faubourgs de Dreux alors que sur le champ de bataille, huit mille hommes sont morts. Chaque année, jusqu'à la Révolution de 1789, Dreux rendra hommage aux vainqueurs par une grande procession commémorative.

On aimerait en savoir plus sur la vie à Dreux sous « l'Ancien Régime ». Mais les rares historiens qui se soient intéressés à Dreux – sauf pour une période plus récente – sont des Drouais autodidactes et engagés. Leurs œuvres sont aussi partielles que partiales. La célébration du bicentenaire de la Révolution aurait pu contribuer à éclairer l'histoire locale sur les années précédant le grand chambardement qui nous a fait entrer dans la contemporanéité. En 1988, le maire a confié la préparation du bicentenaire à son adjointe à la Culture, membre du Front National. Celle-ci, entourée d'une « commission ad hoc » a retenu comme thème de la commémoration : « le vandalisme révolutionnaire »... Ce sujet, choisi pour des raisons trop évidemment idéologiques, n'a pas inspiré les historiens locaux parmi lesquels il y avait des gens de qualité. Dommage. Le 20 juillet 1789, des Drouais ont, en effet, pris leur Bastille à eux : la Maison des Aydes, lieu de perception des impôts indirects de l'époque. Il aurait été instructif de creuser l'affaire. Également, de mettre au jour les raisons de l'acharnement des révolutionnaires contre les tympans du portail de l'église Saint-Pierre, qu'ils ont martelés. Pourquoi leur rage? Comment s'était comporté le clergé avant la suppression des privilèges? Et au-delà de ce que l'on sait des actes de la Société populaire qui siégea au temps de la Terreur, qui ont été, pendant cette période, les acquéreurs des biens nationaux? Sans doute trouverait-on là une des clés qui permettrait de connaître l'histoire de la redistribution du pouvoir dans la ville au

XIXe siècle. Les patrimoines fonciers qui se sont alors constitués expliquent peut-être les clivages politiques de la ville aujourd'hui.

Des rues, des cimetières et des monuments aux morts

Le souvenir de ces siècles d'histoire et de ceux qui l'ont faite vit toujours dans les noms que portent les rues de la ville. Comme tous les enfants qui ont grandi dans une petite localité, j'ai beaucoup marché dans ses rues. Le chemin de l'école, ou plutôt les chemins car j'aimais les varier, ceux aussi qui depuis la maison de mes parents menaient chez mes grands-parents, ceux encore qui me conduisaient le jeudi à la bibliothèque municipale et au Cercle laïque, furent mes universités. J'ignorais alors comment naissent les noms des rues. J'ignorais que celles-ci sont un enjeu du débat politique et qu'ils affichent la couleur du conseil municipal qui les a nommées. Je ne l'appris que plus tard, lorsque, maire à mon tour, j'eus à baptiser des rues nouvelles.

La place Rotrou, la rue et le vieux lycée qui portent le même nom rendent hommage au plus illustre des Drouais. Rotrou m'a semblé injustement méconnu de mes condisciples à la Sorbonne. De son vivant, il souffrait déjà de l'ombre que lui portait Corneille. Il n'en a pas moins écrit trente cinq pièces à succès, en cinq actes et en vers, avant de mourir, à quarante et un ans, victime de son devoir : lieutenant civil et criminel au baillage de Dreux, il accourut de Paris, en juin 1650, apprenant que la peste sévissait dans sa ville, pour se mettre au service de ses concitoyens. Une lettre adressée à des amis en témoigne : « Ce n'est pas que le péril où je me trouve ne soit pas grand, puisque, au moment où je

40

vous écris, les cloches sonnent pour la vingt-deuxième personne qui est morte aujourd'hui; ce sera pour moi demain peut-être, mais ma conscience a marqué mon devoir. Que la volonté de Dieu s'accomplisse [1]. » Il est mort trois jours plus tard. Rotrou a fait partie de mon instruction civique autant que littéraire, et quand je croise sa statue, je la salue.

Le général de Billy a donné son nom à la rue de mon enfance. A 10 ans je n'ignorais rien de la carrière de ce fils d'une lignée locale de potiers d'étain. Ami de Marceau et de Kléber, il s'est distingué sur les champs de bataille de l'Empire avant de tomber à Auerstedt, en 1806. Le récit de sa mort m'était aussi familier que si un grognard me l'avait racontée au retour de la campagne. Antoine Godeau, en revanche, ne m'inspirait aucune sympathie quand je parcourais sa rue et je suis indulgente à l'égard de ceux qui ignorent qu'il fut évêque de Grasse et de Vence et qu'il devint – au moins le dit-on – par intrigue, l'un des premiers académiciens. Enfin, seuls les mélomanes avertis et les amateurs d'échecs connaissent le nom de François-André Danican Philidor. Je passais chaque jour devant sa maison natale et rêvais que je l'avais fréquentée, au début du XVIIIe siècle, quand le jeune page de la chapelle de Louis XV exécutait un motif de sa composition. Voilà pour les gloires locales...

Pour retrouver les autres Drouais du passé, inconnus et oubliés, il faut aller jusqu'au cimetière communal. Leurs peines, leurs bonheurs, leur orgueil ou leur humilité peuvent se lire sur les pierres tombales, mémoire muette de la ville. Les édiles d'aujourd'hui se sont moqués lorsque je me suis élevée, en 1985, code des cimetières à l'appui, pour empêcher que ne soient « relevées » les sépultures à l'abandon (tel est le terme qui signifie que l'on vide subrepticement une tombe à l'abandon pour récupérer le terrain), sans

1. Cité par Charles Maillier, *op. cit.*, p. 202.

considération pour l'histoire communale. Et empêcher que ne soit rasée la partie la plus ancienne du cimetière de Dreux. Ce n'est pourtant pas le peuple obscur et laborieux qui est inhumé là. Il en est du cimetière comme de la ville avec ses « beaux quartiers », où la cherté de l'espace se mesure en durée. Les indigents mis à la fosse commune ne laissent de traces que quelques années. Les familles modestes accèdent à une « concession » trentenaire, dont le bail peut être reconduit. Au fur et à mesure qu'on s'élève dans la hiérarchie sociale, la concession atteint cinquante ou cent ans. Il n'y a pas si longtemps elle pouvait, pour les plus aisés, être perpétuelle. Mais la ville est devenue envahissante et les morts encombrants. L'éternité désormais ne s'achète plus. Au terme de trente ans, de cinquante ans ou d'un siècle, la commune est en droit de récupérer la place. Le trou revient à la collectivité qui le vide et le remet sur le marché. Si l'on n'y prend garde, voilà comment disparaissent des vestiges irremplaçables du passé.

Le quartier des « perpétuelles » du cimetière de Dreux est le plus ancien, celui où sont enterrés les notables. Lorsqu'on est riche d'une lignée d'ancêtres, d'une fortune établie, d'une renommée, on se doit de faire construire son monument de famille à l'image de sa maison. Se promener parmi ces tombes, c'est lire sur leurs inscriptions deux siècles de l'histoire foncière et politique de la ville, peut-être davantage. Car les noms qu'on y rencontre appartiennent à des familles dont on trouve la trace dans l'histoire locale bien avant le début du XIXᵉ siècle. « Quelques dynasties familiales, unies entre elles, président sans fin aux destinées ou de Marseille, ou de Lyon, de quasi toutes les villes [1] », écrit Fernand Braudel à propos de la France de l'Ancien Régime. Ainsi de

1. Fernand Braudel, *L'Identité de la France*, t. 1, Espace et Histoire, Arthaud-Fammarion, 1986, p. 65-66.

Dreux. On le sent dans ce cimetière. Sur les chapelles et monuments ostentatoires, les mêmes noms reviennent, se mêlent et s'entrecroisent. Ce sont d'ailleurs parfois ceux qui ornent déjà les plaques des rues de la ville. Avec le temps cependant, les chapelles sont devenues branlantes, les pierres ont été cassées, mangées par la mousse, envahies par de mauvaises herbes. Les Rotrou, Lamésange, Gromard, Dubois, ces anciens maires, ces privilégiés qui pendant des siècles ont dominé, dirigé, possédé semblent ne plus avoir de descendants. Que sont devenues ces dynasties auxquelles Braudel ne voyait pas de fin ?

Les monuments aux morts ne sont pas moins instructifs. Dreux a fourni son tribut de soldats et d'officiers à toutes les guerres. Après celles de la monarchie, celles de la Révolution et du Premier Empire : pour un général de Billy, qui a donné son nom à une rue de Dreux et à un quai de Paris, combien de grognards drouais tombés à Iéna, à Austerlitz ou à Waterloo ? On l'ignore. On ne sait pas davantage qui, sous le Second Empire, est parti en Crimée ou au Mexique pour n'en pas revenir. La commémoration des « morts au champ d'honneur », l'érection de monuments municipaux destinés à célébrer le culte de la nation dans chaque commune, date de l'émergence de la conscience nationale et du nationalisme comme idéologie. Ainsi les premiers monuments aux morts, ceux de la guerre franco-prussienne de 1870-1871, remontent-ils, selon Antoine Prost, à la fin du siècle : « Ils n'ont pas été édifiés dans l'émotion du deuil national, mais vingt ou trente ans plus tard, après l'épisode boulangiste et au début du xxe siècle, quand la République semblait détourner son regard de la ligne bleue des Vosges [1]. »

Ces monuments, témoins de l'histoire de la France

---

1. Antoine Prost, « Les monuments aux morts », in *Les Lieux de mémoire*, sous la direction de Pierre Nora, t. 1, *La République*, Gallimard, 1984.

contemporaine, ont été des objets de conflit avant d'être des lieux de pèlerinage. On ne peut expliquer autrement la multiplication des monuments aux morts à Dreux. Il pourrait n'y en avoir qu'un seul, il y en a quatre... Celui qui commémore la guerre franco-prussienne de 1870. Celui dédié aux morts de la Grande Guerre, de la campagne 39-45, de l'Indochine et de l'Algérie. Celui des déportés. Celui de Drouais fusillés par les Allemands.

La plupart des habitants ignorent jusqu'à l'existence du premier. Dans la longue procession qui les conduit de tombes en monuments, chaque 11 Novembre, les élus et les anciens combattants traversent le cimetière, observent une station devant le « carré » des aviateurs anglais avant de s'incliner devant la stèle des déportés. Mais ils ne s'arrêtent pas devant l'obélisque qui porte cette sobre et lapidaire inscription : « Aux soldats français, tués sous ses murs, 1870-1871, la ville de Dreux ». Une guerre chasse l'autre, et les générations disparues tombent dans l'oubli, mais l'amnésie peut aussi traduire une volonté, ou un choix. La pierre de 1870 marque un moment qui a divisé la ville, un moment qui ne peut être porté à sa gloire. Les élus de Dreux, en octobre 1870, n'avaient pas résisté aux Prussiens. Estimant que les forces étaient insuffisantes, sceptiques quant au succès de la levée en masse que voulait Gambetta, ils avaient fait évacuer les mobiles venus de Normandie, désarmé les gardes nationaux et déclaré Dreux « ville ouverte », afin de lui éviter le sort des places fortes. Lorsque de valeureux patriotes décidèrent tout de même d'arrêter l'ennemi, il y eut des morts : ils avaient, par erreur, tiré sur d'autres francs-tireurs. Difficile dans ces conditions de faire un discours sur l'héroïsme local sans risquer de réveiller de vieilles divisions entre ceux qui voulaient se battre et ceux qui ne le voulaient pas. Le souvenir des controverses qui agitèrent la ville aux origines de la République et celui des débats qui se réveillèrent lorsque fut ouverte la souscription pour le monument, il y a un siècle, se sont peut-être moins estompés qu'on ne le croit.

Chacun des trois autres monuments destinés à rappeler aux vivants les sacrifices des habitants a également son histoire. Les familles des Drouais morts en déportation ont souhaité leur dédier un lieu de mémoire distinct. En 1982, les communistes ont à leur tour fait bâtir une stèle, dans un autre endroit, pour rendre hommage aux jeunes Drouais, issus de leurs rangs, fusillés par les Allemands à Nantes, à Amiens et au Mont Valérien. Celui de 14-18 a été édifié, en 1920, grâce à une souscription lancée par une organisation d'anciens poilus considérés, par le maire de l'époque, comme un ramassis de conservateurs... Il s'est toutefois progressivement imposé comme le monument aux morts de la ville, si bien qu'aux soldats morts pendant la « der des der » sont venus s'ajouter ceux des guerres suivantes, celles du Rif, de 39-45, d'Indochine et d'Algérie... Aujourd'hui les querelles qui ont présidé à son édification se sont tues. C'est là qu'un maire nouvellement élu va déposer une gerbe. C'est là que le sous-préfet qui prend ses fonctions fait sa première apparition publique. C'est là que convergent, à l'occasion des manifestations patriotiques, les cortèges devenus squelettiques alors qu'ils étaient impressionnants par leur longueur dans les années 1950. Hier c'était à pied, désormais c'est en autocar que l'on va d'un monument à l'autre. Les « officiels » les honorent à tour de rôle, aux dates convenues, sans oublier la plaque à la gare qui rappelle les sacrifices des cheminots dans la Résistance. Il arrive que ces manifestations soient l'occasion d'incidents, ou bien que les pacifistes veuillent se faire entendre, ou bien qu'un parti tente de capter l'attention en déposant sa propre gerbe, rompant ainsi les rares moments de consensus que cette cité turbulente peut s'offrir.

Des marchés et des foires

Laissons les morts. Les vivants, eux, se sont beaucoup disputés pour le marché du lundi. Quand j'ai été élue maire en 1977, j'ai voulu faire revenir celui-ci au cœur de la ville, au pied du beffroi, alors que mes prédécesseurs l'avaient exilé à la périphérie parce qu'il perturbait la circulation automobile. Depuis toujours et encore dans mon enfance, c'est là qu'il se tenait. La création d'une zone piétonne rendait possible ce retour. Il s'agissait moins de nostalgie que d'une tentative de réanimation du centre qui se mourait, mais j'avoue y avoir trouvé mon compte sentimental. Car ce marché – que mes successeurs ont de nouveau déplacé – fait partie du souvenir de tous les Drouais. Pour chacun, il s'y est passé, un jour, quelque chose d'important. Témoin le récit d'une vieille amie de ma grand-mère, disparue en 1990 dans sa centième année. Le 11 novembre 1918, il faisait un soleil radieux et elle attendait, comme tant d'autres jeunes femmes, la fin de la guerre, en vendant « aux petits paniers » ses œufs et ses poulets, rue Rotrou. Les cloches, à 11 heures, ont carillonné. La guerre était finie! Son colonel de fiancé allait rentrer, vivant...

C'est sur ce marché que mes ancêtres vendaient leurs bêtes et leur blé. Ils s'installaient pour discuter au café de la halle (halle et café aujourd'hui disparus), du prix du boisseau de grain, du loyer de l'arpent de terre. Je les imagine regagnant à pied ou en carriole le village habité par ma famille maternelle depuis le xve siècle, empruntant pour cela la côte qu'on appelle, sans toujours savoir pourquoi, la côte du « Dernier Sou ». Ce nom a été tardivement donné à

46

une auberge devenue aujourd'hui maison particulière, mais dont on aperçoit encore l'enseigne. Les hommes s'arrêtaient là pour boire, au risque de dépenser jusqu'à leur ultime denier ce qu'ils avaient gagné à la foire. Ce lieu de perdition fut maudit des femmes dont je descends, comme me l'a raconté ma grand-mère. Il y avait dans sa voix, quand elle parlait du « Dernier Sou », un fond de honte et de colère qu'elle tenait sans aucun doute de sa mère, qui elle-même... Ces femmes, privées de marché parce qu'il fallait traire les vaches, maudissaient les hommes qui sur le chemin du retour buvaient jusqu'au dernier sou leur recette. J'imaginais même que le nom du village de mes ancêtres, familier des cruciverbistes, tenait son origine de ces retours bien arrosés : Bû !

Plusieurs fois par an, à Dreux, le marché du lundi devenait une grande foire. Les deux plus importantes se situaient à l'automne lorsque les paysans sont dégagés des travaux de la moisson. Si l'on y vend, ses bêtes, on venait surtout y dépenser son argent. La Saint-Gilles en septembre, la Saint-Denis en octobre. La Saint-Denis, qui est millénaire – Robert Ier en 1180 accorda aux Frères hospitaliers du cru le droit de foire – est la seule qui survit. Mais sans les animaux, et notamment ces dizaines de milliers de moutons qui au XIXe siècle encore contribuaient à son pittoresque. Un témoin évoque ces Saint-Denis des dernières années du siècle : « les troupeaux de moutons dévalant le faubourg Saint-Martin ; les chevaux à la queue et à la crinière tressées de paille que les commis faisaient courir sur le Vieux-Pré ; les vaches, les porcs que nos campagnards, ayant revêtu leur plus belle blouse, jugeaient d'un œil de connaisseur ; les kyrielles de guimbardes et de carrioles, s'alignant le long des faubourgs en face des auberges [1]... ».

1. Charles Maillier, *op. cit.*, p. 69.

47

Le marché du lundi avec ses dix siècles d'âge appartient à la culture locale. La campagne et la ville s'y rencontrent. Les nouvelles s'y échangent, les rumeurs aussi. Prendre la « température » du marché c'est, aujourd'hui, prendre celle du « vieux Dreux » et des villages du Drouais. En période électorale, les caméras des télévisions y suivent les candidats pour lesquels le marché demeure un lieu de visite obligé.

Et la guerre, comme ailleurs...

La guerre et l'occupation : ce fut, entre 1940 et 1944, dans cette petite ville française, comme dans tant d'autres, « le chagrin et la pitié ».

Le chagrin : les bombardements de la ville, les 9 et 10 juin 1940, tuent et affolent les populations qui fuient devant l'occupant, rejoignent sur les routes les cohortes de Belges et de Français du Nord dans leur exode vers le Sud. Jean Moulin, préfet d'Eure-et-Loir, est l'un des rares représentants de l'État à demeurer à son poste pendant la débâcle [1]. Il vient, le 14 juin, rendre visite au maire, Maurice Viollette, et constater l'état du chef-lieu d'arrondissement, meurtri et désolé. « Je regarde Viollette, écrit-il, assis à mes côtés. C'est sa ville qui demain, dans quelques heures peut-être, va être livrée à l'ennemi ; c'est cette ville qu'avec une poigne un peu rude il a dirigée pendant trente ans. Il n'est pas de quartier, pas de rue, pas un coin de terre qui ne lui doive quelque chose. Ses adversaires disaient de lui qu'il avait " la maladie de la pierre ". Et c'est vrai. Il a bâti, bâti sans arrêt, des hôpitaux, des maternités, des sanas, des cités ouvrières... Maintenant que nous roulons dans des rues semées de ruines je

---

1. Dans le t. 1 de *Jean Moulin, l'inconnu du Panthéon*, Daniel Cordier s'est longuement, et de façon très documentée, attaché au rôle de Jean Moulin à la préfecture d'Eure-et-Loir de février 1939 à novembre 1940.

pense qu'il est beau d'être accablé du nom de bâtisseur [1]. »
Deux jours plus tard, lorsque les Allemands entrent à Dreux,
600 habitants à peine sur les 13 000 qui y vivaient quelques
semaines plus tôt [2] s'y trouvent encore.

Maurice Viollette est maire depuis 1908. Il a décrit la
bourgade du début du siècle comme engourdie dans l'immo-
bilisme : « Dreux est alors une de ces petites villes endormies
de province que la cendre recouvre un peu plus chaque
année » et il ajoute : « Elle était bien modeste en 1908 la ville
de Dreux, blottie dans la vallée de la Blaise, entre deux
coteaux la surplombant de vingt à trente mètres, elle se faisait remarquer au-dehors par sa fonderie et surtout par
quatre manufactures qui travaillaient à plein. La chaussure
était la grande industrie de Dreux [3]. »

Lorsqu'il devient maire, Maurice Viollette a 38 ans. Il est
député de la circonscription depuis 1902. Jeune avocat,
ancien chef de cabinet d'Alexandre Millerand, il n'a pas
rejoint la S.F.I.O. lors de sa création, en 1905. Il est socialiste
indépendant. Formé à l'école du « broussisme » il est d'abord
convaincu que c'est par la gestion municipale que se réglera
en grande partie la question sociale. Ses premiers arrêtés
municipaux visent à réglementer les sonneries de cloches et
à interdire les processions : anticléricalisme oblige... Mais
surtout, il se lance avec fougue dans la modernisation de la
petite cité. Il crée des cours professionnels pour favoriser
l'emploi. Il construit des crèches, des écoles, des hôpitaux,
mais aussi des logements sociaux. Dès 1922, Dreux possède
son office H.B.M., l'un des premiers, en France. Mais il n'est
pas question de construire des immeubles que Viollette assi-
mile à des « casernes ». Les Logements à Bon Marché seront
à Dreux des maisons ouvrières, plus hygiéniques que des

1. Jean Moulin, *Premier Combat*, Éditions de Minuit, 1947, p. 28-29.
2. Maurice Viollette, *Notes*, Laîné et Tanté, Chartres, 1950, p. 160.
3. *Départements et Communes*, avril 1986.

49

logements collectifs et dont le jardin détournera le locataire du café. La ville s'élargit. Elle commence à escalader les coteaux qui de la vallée conduisent aux plateaux. Des cités nouvelles s'édifient, ordonnées autour de leurs squares à bassins pour petits bateaux. Les mères et grands-mères pourront y promener les enfants. Les lieux publics doivent être vastes, beaux et concourir à former le goût des habitants grâce aux copies de statues classiques qui les ornent. Les écoles publiques à l'architecture modern style s'ouvrent sur les places et les squares.

En 1940, Maurice Viollette, qui a été un éphémère ministre du Ravitaillement pendant la Première Guerre mondiale, gouverneur général de l'Algérie de 1925 à 1927, vice-président du conseil des gouvernements présidés par Léon Blum pendant le Front populaire, n'est plus parlementaire. En 1938, il a subi l'un des rares échecs électoraux de sa longue carrière politique [1]. Les grands électeurs beaucerons lui ont fait payer sa participation au Front populaire et surtout son opposition aux accords de Munich. Cette mésaventure le prive de siéger à Vichy où, le 10 juillet 1940, les parlementaires présents accordent les pleins pouvoirs au maréchal Pétain. Comment aurait-il voté ? « Bien entendu, si j'avais été à Vichy j'aurais refusé de voter Pétain et je l'aurais même combattu de toute mes forces [2] », écrira-t-il dans ses Mémoires. La constance de son attachement à la République permet de penser qu'il aurait été dans le camp des « quatre-vingt » qui ont refusé au maréchal la confiance qu'il leur demandait et qui consistait, en réalité, à en finir

1. Élu député de la circonscription de Dreux, en 1902, Maurice Viollette a, sauf entre 1919 et 1924 et entre 1938 et 1945, détenu un mandat parlementaire jusqu'en 1956. Il a été maire de Dreux de 1908 à 1959, conseiller général de 1904 à 1960, président du Conseil général de 1921 à 1960. Il a été démis de ses mandats locaux par le gouvernement de Vichy.
2. Maurice Viollette, *op. cit.*, p. 166.

avec la République. Le journal qu'il tient à l'époque le confirme.

Aussi longtemps que Jean Moulin reste préfet du département, Maurice Viollette peut tranquillement s'opposer à « l'ordre nouveau » sans être inquiété. Les deux hommes sont liés par une vieille amitié. Sous le Front populaire, Jean Moulin a été membre du cabinet de Pierre Cot, le ministre de l'Aviation. Or Pierre Cot et Maurice Viollette ont été l'un et l'autre favorables à l'intervention en Espagne et Jean Moulin chargé d'acheminer discrètement des avions aux républicains espagnols. Le préfet de Chartres et le maire de Dreux partagent donc à l'égard de l'occupant et de « l'État français » les mêmes sentiments. L'un comme l'autre manifestent une résistance passive aux ordres de Vichy et à ceux des Allemands. En novembre, Jean Moulin est révoqué. En décembre, Viollette l'est à son tour. Le nouveau préfet désigne un de ses adversaires de droite, un avoué de la ville, pour faire office de maire. Un mois plus tard, le représentant de « l'État français » fait arrêter Viollette. « Considérant que sa présence dans la ville et dans le département où il a détenu des mandats électifs est de nature à susciter, dans les circonstances actuelles, une agitation dangereuse pour la défense nationale et pour la sécurité publique », il le fait assigner à résidence en Ille-et-Vilaine puis à Paris. Maurice Viollette échappe, dans les derniers mois de la guerre, à la surveillance du gouvernement de Vichy, pour se cacher dans une ferme à quelques dizaines de kilomètres de Dreux.

Dès juillet 40, les Drouais reviennent progressivement chez eux et doivent apprendre à vivre à l'heure allemande. Tous ne s'y résignent pas. Pour le premier Noël qui suit la défaite, les occupants décorent la Grande Rue d'un sapin. Le soir du 25 décembre, des mains inconnues vont, à son faîte, accrocher une peau de lapin. Acte dérisoire porté au

51

crédit de ceux qui maculent d'encre les affiches nazies et coupent quelques fils électriques. Ces résistants de la première heure se comptent sur les doigts d'une main. Ils ne seront renforcés par les réfractaires au S.T.O. qu'à dose homéopathique. Pourtant ils sont là, une petite phalange derrière « Mathurin », nom de Résistance de Francis Dablin, le professeur de gymnastique du collège Rotrou.

La pitié : elle est pour la masse des pétainistes, des collaborateurs d'occasion, de ceux qui, tout simplement, tournent avec le vent au point de devenir, au lendemain de la libération de la ville, plus gaullistes que les gaullistes de 1940...

Après la guerre, Mathurin a organisé des camps, bien pacifiques ceux-là, pour offrir des vacances aux enfants de ses compagnons de guerre qui n'avaient pas le temps d'en prendre. J'ai fait partie de cette petite troupe. Sur une plage de Normandie encore marquée par le débarquement de juin 1944, nous nous délections, à la veillée, des récits de Mathurin. Je les écoutais avec d'autant plus d'attention que mon père y faisait figure de jeune héros. Il est aujourd'hui l'un des derniers survivants de l'opération de minage du viaduc de Chérisy, réalisée sous les ordres de Farjon [1]. Comme tous ceux qui avaient vingt-cinq ans en 1944, il lui a fallu, à la Libération, réapprendre à vivre dans la paix. Et, par exemple, continuer de côtoyer ses voisins qui quelques mois plus tôt dénonçaient ses parents à la Gestapo. Son coffre contient toujours une de ces lettres de dénonciation, trouvée dans les archives de la police allemande, et un diplôme signé de la main d'Eisenhower dédié à son père. Lorsque la presse l'interroge sur l'action la plus spectaculaire de la résistance locale – dont il fut –, il traduit le sentiment de ceux qui ont vécu cette époque : « Ce que nous avons fait est bien

1. Responsable de l'Organisation civile et militaire pour l'Eure-et-Loir.

modeste. Dreux, ce n'était pas le Vercors[1] ». Dire qu'il a oublié, c'est autre chose : aujourd'hui encore, quand on prononce le nom d'Untel ou d'Untel, il lui arrive de dire, employant le présent : « C'est un collabo. » Sans plus.

La vie continue...

Après la Libération, qui eut lieu à Dreux le 16 août 1944, la vie a retrouvé son cours normal. Viollette est rentré dans sa ville en héros. Les Américains ont distribué du chewing-gum et du chocolat. Ils ont apporté le médicament qui devait sauver la vie de ma mère, à ma naissance, au printemps de 1945. L'hiver 1944-1945 a été rude et le rationnement d'autant plus insupportable que la guerre paraissait finie.

A la fin des années 1940 tout le monde, à Dreux, se connaît. Les opinions de chacun ne sont un secret pour personne. On sait qui croit au radicalisme, la religion locale, et qui n'y croit pas. Les vieux clivages ont repris leurs droits. Pierre Joseph, imprimeur et socialiste « pivertiste », qui fabriquait des fausses cartes d'identité sous l'Occupation, a recommencé d'éditer le *Populaire d'Eure-et-Loir*, « hebdomadaire socialiste et féministe » qu'il avait décidé de saborder en juin 1940, et de promener sa longue silhouette dans la Grande Rue sous un chapeau noir à large bord, lavallière nouée autour du cou. Charles Maillier, comptable et historien local, démocrate-chrétien et adversaire de Maurice Viollette porte une lavallière lui aussi, mais un chapeau moins bohème. Roger Hieaux, banquier et ancien président départemental des Croix-de-Feu, court, en fin d'après-midi, muni de sa raquette vers le tennis du stade municipal.

1. *L'Écho républicain*, 14 août 1989.

53

Charles Vannier, instituteur et communiste, « fait » la Grande Rue, l'Humanité sous le bras, devisant avec le quincaillier ou l'ouvrier de l'usine Potez descendu en ville, la journée finie, pour faire sa partie de billard dans l'arrière-salle du café de l'Époque. Les uns et les autres croisent et saluent les adjoints de Viollette : Haricot, Faucher, Le Moullec, Sébille, – qui ne sont plus pour les Drouais d'aujourd'hui que des noms donnés à une cité H.L.M. ou à une rue. A eux cinq, ils comptent quatre siècles. Leur dévouement et leur courtoisie, autant que l'âge, forcent le respect.

Il y a même encore à Dreux, ville républicaine, quelques royalistes égarés. Il faut être, comme je le suis, une « vieille » Drouaise, pour avoir entendu crier « Vive le roi », le dimanche matin dans les années 1950, sous l'allée de marronniers qui mène à l'entrée du domaine royal. Dans ces années-là, quand ces exclamations au passage du comte de Paris qui venait entendre la messe dans sa propriété révoltaient ma jeune âme républicaine, le médecin de ma famille, Henri Monégier du Sorbier, candidat aux élections cantonales, ne cachait pas, lui, ses opinions bonapartistes... Dreux n'était pas seulement un livre d'histoire de la France ancienne. Elle apparaissait, à travers les combats électoraux, comme l'illustration d'un manuel d'instruction civique et politique dans toute sa diversité.

Tandis que la bourgeoisie joue au tennis, petits commerçants et ouvriers se partagent entre la boxe, le foot et la belote. Quant aux enfants, ils vont soit à l'école laïque et républicaine, soit à l'école privée et catholique; pour les activités culturelles, soit au Cercle laïque, soit au patronage Saint-Jean; pour la gymnastique, soit à l'Espérance, soit à l'Alliance. Dis-moi quelle école tu fréquentes et je te dirai qui tu es, dis-moi où tu passes tes jeudis et je te dirai pour qui votent tes parents... L'ordre ancien, qu'il ne faut pas idéaliser, n'était fait ni de stabilité ni de paix sociale ni de sérénité politique. Les conflits sociaux et les batailles électorales pouvaient être rudes. Mais la vie publique locale se déroulait dans une clarté rassurante : il y avait d'un côté les patrons, de l'autre les ouvriers ; d'un côté les catholiques, de l'autre les anticléricaux ; d'un côté la droite, de l'autre la gauche. On y rencontrait bien des patrons de gauche, des ouvriers de droite ou des catholiques « jocistes », compagnons de route du P.C., mais ils faisaient exception.

Dans ces années de reconstruction du pays, dont on ne se doute pas alors qu'elles ouvrent trois décennies d'une croissance inouïe que Jean Fourastié nommera les « Trente Glorieuses », l'évolution inévitable de la petite ville paraît maîtrisable. Un autre Dreux est pourtant en train de naître. Les « vieux » Drouais s'en aperçoivent à peine. Certes ils voient, insensiblement, disparaître des traces de ce qui fut la ville de leur jeunesse. Ils regardent tomber sous les pioches des démolisseurs l'ancestral hôtel du Paradis, qui tenait l'angle de la rue aux Tanneurs et de la Grande Rue, et où Victor Hugo avait dormi en 1821. Un grand magasin à « prix unique » s'installe à la place, dans une sorte de blockhaus de béton. Quelques années plus tard, un autre lieu encore plus imprégné des bruissements de la vie locale, celle qui s'égrène au fil des jours, disparaît : le café du Commerce est vendu, rasé, remplacé par une banque à la façade aveugle et bétonnée. Les Drouais ont le cœur lourd. La Grande Rue, disent-ils, ne sera plus jamais ce qu'elle fût. A y regarder de près, la disparition du café du Commerce est le signe marquant du passage d'une ville à une autre, le symbole d'une « rupture » : peut-on concevoir une ville française sans son café du Commerce ? Celui-là méritait bien son nom, au cœur du bourg, point central d'échange des informations en tout genre, de débats politiques, de conversations sur le mode des « Il n'y a qu'à... » et des « Il faudrait que... ». Les auteurs de « La famille Duraton » et ceux de « Sur le banc » avec Jeanne Sourza et Raymond Souplex, les deux émissions radiophoniques les plus populaires de l'époque, auraient pu trouver là une source inépuisable d'inspiration pour leurs feuilletons quotidiens. Il y a bien sûr d'autres « zincs » où venir prendre son café avant de lever le rideau de la boutique, où aller boire son apéritif la journée terminée. Pourtant le lieu comme l'enseigne ne seront pas remplacés.

On se console en constatant que la ville entre, grâce à des signes qui ne trompent pas, dans la modernité. Le premier feu tricolore installé à un carrefour donne aux Drouais le sentiment qu'ils vivent dans une vraie ville et non dans un gros village. On va le voir en procession, comme on ira bientôt regarder le premier immeuble – avec ascenseur! – qui par sa hauteur, en plein centre de la ville, semble vouloir défier le beffroi. En revanche, les habitants, partagés entre la nostalgie de la ville d'autrefois et la fierté de voir arriver à Dreux ce qui n'existait jusqu'alors qu'à Paris, n'appréhendent pas totalement la mesure du changement qui s'opère dans la périphérie. Depuis le centre, les plateaux, en cours d'urbanisation et qui accueillent les nouveaux venus, sont invisibles.

Une économie meurt, une autre naît

C'est moins la guerre, la débâcle, l'occupation qui marquent une profonde rupture dans l'histoire de Dreux que les trois décennies qui suivent le retour à la paix.

A l'origine de ce qui va constituer un bouleversement aux

multiples conséquences, il y a la mutation industrielle de la ville. Dreux n'était pas au début du siècle, comme on l'a beaucoup dit, un gros bourg essentiellement rural. Les discours des préfets et sous-préfets qui saluent avec emphase les transformations du chef-lieu d'arrondissement à l'occasion des inaugurations – et les occasions ne manquent pas – reprennent inlassablement cette idée qui fait aujourd'hui figure de cliché : « Dreux, ce modeste bourg rural des portes de la Beauce, a su, grâce à l'esprit d'entreprise de ses édiles devenir une petite ville industrielle dynamique et équilibrée... » On pourrait publier une anthologie de ces discours, recopiés et répétés, à la gloire de ce « modeste bourg rural » devenu une petite ville industrielle. Quand Dreux commencera de manifester des premiers signes de crise, on en attribuera, implicitement, l'origine au traumatisme créé par le passage de la civilisation de l'agriculture à celle de l'industrie. Une émission récente d'une des chaînes de télévion sacrifiait encore à cette image stéréotypée [1].

Cette explication, il importe de le souligner, est démentie par l'histoire. Dreux a, certes, un passé de marché agricole et l'artisanat dérivé de l'agriculture (meunerie, tannerie, tonnellerie...) y a été important. Mais de longue date, elle est une petite cité manufacturière. Au XVIIᵉ siècle, une manufacture de draps fait travailler dans le bourg et les villages des alentours quelque 3 000 personnes. L'industrie métallurgique, au fil de l'eau, est active. La papeterie et l'imprimerie créées par la famille Firmin Didot, au Mesnil-sur-l'Estrée, à une lieue de Dreux, donnent, depuis le XVIIᵉ siècle, du travail à la population locale.

Dreux, d'ailleurs, ne cessera d'être regardée, pendant tout le XIXᵉ siècle et encore dans l'entre-deux-guerres, comme la ville la plus industrielle, la plus ouvrière du département.

1. FR3, *Rencontres*, janvier 1990.

Les mutations agricoles (par exemple de la disparition du vignoble), le développement du commerce international (l'accord de libre-échange de 1860 achève de ruiner une industrie textile en crise), les révolutions industrielles, ont, au fil des siècles, conduit à des reconversions sans aucun doute douloureuses. Mais parce qu'il y avait là une tradition et une main-d'œuvre, aux manufactures mourantes succédaient d'autres entreprises.

Des traces subsistent aujourd'hui encore de l'économie du passé, même si elles sont ténues. Une entreprise de travail du jute, Esmery-Caron, qui a su développer et diversifier ses activités, demeure ainsi le témoin de l'industrie locale du textile dont les racines ont plus de trois siècles. Après bien des vicissitudes, l'imprimerie Firmin-Didot a été sauvée dans les années 1980 de la disparition : ses antiques presses ont été mises à la casse et ses ouvriers au chômage ; 190 salariés au lieu de 600 il y a une dizaine d'années suffisent aujourd'hui à faire « tourner » une entreprise ultra-moderne dans laquelle de véritables monstres technologiques impriment et brochent 130 000 livres chaque jour. La Reliure de Dreux, autrefois annexe de Firmin-Didot, faillit également disparaître. Sauvée par un repreneur audacieux elle continue d'entretenir dans la ville la tradition du beau livre. La fabrication de chaussures et de chaussons, grande pourvoyeuse d'emplois au début du siècle, ne compte plus, au lendemain de la Seconde Guerre mondiale, qu'un petit établissement, ultime lien de l'histoire avec, comme on le verra, l'installation de forçats libérés à Dreux. Elle s'est éteinte, sans bruit, à l'aube des années 1960.

La fonderie, en 1945, est toujours là, mais elle périclite. Les plus importants établissements de la ville sont alors Grosdemouge, Facel, Potez. Ils n'existaient pas quand Maurice Viollette accédait à la mairie. Ils comptent, dans les années 1950, entre 150 et 200 salariés. Ce sont des entreprises de la métallurgie et de la mécanique qui travaillent pour l'aviation et pour l'industrie automobile – les superbes Facel-Vega sont montées à Dreux. Elles emploient l'élite ouvrière de la cité, des ouvriers qualifiés, des « hommes de métier », comme on disait alors. Ces trois établissements se sont implantés ou créés dans l'entre-deux-guerres. Toutes les entreprises drouaises sont, en 1950, à capital familial, à gestion paternaliste, profondément impliquées dans la vie locale. Elles sont si peu anonymes que la femme du métallo croise sur le marché madame Grosdemouge ou l'épouse du propriétaire d'Esmery-Caron qui y font leurs courses.

Aucune de ces usines ne résiste au choc de la modernisation que connaît la France des « Trente Glorieuses », à la concurrence internationale, à la nécessité de produire massivement en rationalisant les méthodes. Grosdemouge est la première frappée. L'usine ferme ses portes en 1958. Après une lente agonie ce sera le tour de Facel, en 1964, puis de Potez en 1970. N'ont survécu de cette époque que deux établissements importants : Nomel, et Beaufour. Nomel [1], entreprise métallurgique, exigeait de ses ouvriers des compétences moindres que les autres établissements locaux du même secteur. Quant à Beaufour, usine pharmaceutique née à Dreux dans une officine de la place Rotrou où le pharmacien inventa la *Citrate de bétaïne* qui allait être à l'origine d'un groupe pharmaceutique de taille internationale, elle ne fait alors que commencer sa carrière. Cette entreprise s'inscrit davantage dans la génération des entreprises du « deuxième Dreux » qui naît sur les ruines de l'ancien plutôt que dans la tradition industrielle locale.

Des entreprises meurent. D'autres s'implantent. Au len-

---

1. Cette entreprise ne sera bientôt plus qu'un souvenir pour Dreux. A l'automne de 1990, elle a presque achevé de transférer l'ensemble de ses activités dans l'Orne.

demain de la guerre, Paris et la région parisienne sont engorgés, encombrés, asphyxiés par les industries. Au début des années 1950, les pouvoirs publics qui repensent l'aménagement du territoire, en fonction de l'industrialisation, obligent les entreprises parisiennes à se « desserrer » dans le but de revitaliser le « désert français ». Contraintes d'urbanisme à Paris et incitations fiscales en province se mêlent pour forcer les entreprises de la capitale et de sa banlieue à rechercher de nouveaux sites pour se développer. L'Eure-et-Loir, proche de la capitale, ne bénéficie pas d'abattements fiscaux. Dreux va cependant faire jouer ses atouts : elle n'est qu'à une heure à l'ouest de Paris, elle a une tradition industrielle, son climat social est réputé plus paisible que celui des grandes villes, enfin elle est située au cœur d'un bassin de main-d'œuvre que les pouvoirs locaux présentent comme abondant, d'autant plus abondant que dans ces années de plein-emploi les vieilles industries périclitent.

L'implantation de la Radiotechnique symbolise la naissance de ce nouveau Dreux industriel. La Radiotechnique est une vieille entreprise française. Créée en 1919, elle fabrique des tubes de T.S.F. Depuis 1931 elle est liée au groupe Philips. L'entreprise connaît, au lendemain de la Libération, un important essor. Son usine de Suresnes, dans la banlieue ouest de Paris, ne peut plus désormais répondre à l'expansion de sa production de grandes séries. La décision est prise d'essaimer dans le grand Ouest parisien. Dreux, informée du projet, se porte candidate pour accueillir un établissement du groupe. Le dossier que présente Maurice Viollette aux dirigeants de la Radiotechnique (prix des terrains attractif, aides promises pour l'aménagement des réseaux, garanties d'un recrutement facile de main-d'œuvre) fait que le site est retenu. La Radiotechnique de Dreux ouvre ses portes en 1956, avec deux établissements installés aux portes de la ville, l'un de montage de postes de télé-vision, l'autre de fabrication de composants électroniques et de tubes cathodiques. C'est, d'un coup, la création de plus de 1 000 emplois.

La Radiotechnique n'arrive pas seule. D'autres établisse-ments de plus de 200 emplois s'installent entre 1954 et 1975 : Actime et Verboom dans le secteur de l'industrie des métaux, Rosi, Floquet-Monople, Renault dans celui de l'automobile, Norgan dans celui de la pharmacie... et, sur le territoire d'une commune voisine, la Skaï dont le nom est devenu celui d'un produit d'usage courant, imitant le cuir... Entre 1950 et 1970, ce sont 25 entreprises qui s'implantent dans la seule ville de Dreux. Dans le même temps, 6 000 emplois sont créés [1]. Les établissements nouveaux par-tagent une série de caractéristiques qui les distinguent de ceux qui formaient l'ancien tissu industriel : les sièges sociaux sont extérieurs à Dreux – et même, pour la skaï, à la France – , ce sont des établissements de main-d'œuvre et des usines de montage qui recrutent des ouvriers sans qualifica-tion.

Trouver des bras

Ces nouvelles entreprises sont accueillies comme des bienfaitrices de la cité par le pouvoir local. Elles créent des emplois, donc de la richesse pour la ville. Pourtant les tra-vailleurs hautement qualifiés de Grosdemouge, de Potez, de la fonderie – ou plus tard de Firmin-Didot – qui sont rejetés sur le marché de l'emploi, ne trouvent pas là une possibilité de reconversion : ils sont trop compétents, trop exigeants en matière de salaires et peut-être aussi taxés d'une expérience

1. *Le Courrier du Parlement*, 19-23 juin 1978.

syndicale dont la direction de ces établissements redoute les effets. Il faut pour les chaînes qu'on monte des hommes durs à l'ouvrage et dociles. Le réservoir de main-d'œuvre que la mairie avait fait miroiter à la Radiotechnique pour l'attirer se révèle inapte à fournir en nombre suffisant ce type de salariés. Aussi, en 1956, lorsque la première tranche de la Radiotechnique est en état de démarrer, plusieurs centaines d'ouvriers manquent à l'appel pour que les chaînes puissent être mises en marche. Un géographe, qui a étudié l'histoire de la déconcentration de la Radiotechnique dans l'Ouest parisien, raconte comment l'entreprise dut, en catastrophe, procéder : « Des mesures exceptionnelles de recrutement sont (...) prises pour s'assurer le concours de la main-d'œuvre bretonne : les services psychotechniques de Dreux sont allés opérer à Hennebont afin d'y procéder à une reconversion de la main-d'œuvre mise à pied par suite de la fermeture des Forges. Mais cela ayant donné des résultats insuffisants, on a fait appel à des Italiens, à des Hongrois du camp de Domfront, à des Espagnols; près de 500 ouvriers ont ainsi été embauchés... Cette solution a permis de résoudre le problème, mais pour un temps seulement, car cette main-d'œuvre n'était pas stable; néanmoins elle a permis de passer le cap [1] ». La Radiotechnique en effet devra, dans les années suivantes, faire de nouveau appel à l'extérieur : ses recruteurs iront en Italie, en Espagne et bientôt au Maroc pour trouver des O.S. En 1970, 39 % des salariés de l'usine sont de nationalité étrangère.

La Radiotechnique n'est pas un cas isolé. La plupart des autres entreprises de main-d'œuvre qui se sont installées à Dreux ont connu les mêmes difficultés de recrutement, d'autant plus que les emplois qu'elles proposaient étaient

1. Claude Parry, « Un exemple de décentralisation industrielle, la dispersion des usines de " la Radiotechnique " à l'ouest de Paris », *Annales de Géographie*, 1963, p. 157.

peu qualifiés. Chacune aura ses sources privilégiées de recrutement : la Skaï, l'Afrique noire ; Nomel, le Portugal ; Comasec, une usine de vêtements de protection en caoutchouc, la Turquie...

Le pouvoir municipal, soucieux de maintenir le courant d'implantation industrielle, a lui-même recherché des solutions au déficit en hommes. Il s'en est présentée une, en 1962. Parmi les Français d'Algérie, une catégorie composée davantage d'exilés que de rapatriés – au sens propre – trouve difficilement des lieux d'accueil dans l'Hexagone : les anciens harkis et moghaznis. Ces supplétifs de l'armée ou de l'administration française, de culture musulmane, étaient menacés de mort, d'emprisonnement ou de bannissement civil par le nouvel État algérien qui les considérait comme des collaborateurs de la colonisation. Ceux qui pouvaient quitter l'Algérie se voyaient accorder la nationalité française : pouvait-on faire moins à l'égard de ces hommes qui avaient servi la France ? Et qu'on avait compromis en les engageant dans la guerre ? Mais alors que, dans les premiers mois au moins, les pieds-noirs européens rencontrent la solidarité de la métropole, rares sont les municipalités prêtes à recevoir de gaieté de cœur les musulmans devenus Français. Et voilà ces derniers hâtivement parqués dans des camps de transit. Dreux voit dans ces hommes arrachés à leur terre, jeunes, de nationalité française, un apport inespéré de main-d'œuvre. La mairie accorde un terrain à la Sonacotra, organisme semi-public de construction de logements pour les travailleurs. Quelque deux cents appartements sont construits à la hâte pour loger les harkis. Ceux-ci s'installent dans ces immeubles en forme de « barres » édifiés aux marges de la ville en 1963, dans l'indifférence générale et sans que quiconque se préoccupe de les accueillir ou de connaître leur histoire. Le seul contact qu'ils entretiennent avec la France et ses institutions passe par un officier qui a commandé une partie d'entre eux en Algérie et qui estime de son devoir de ne pas abandonner ces familles.

S'il y eut jamais un ghetto à Dreux, au sens exact du terme, ce fut bien celui-là où, pendant plus d'une dizaine d'années, une population meurtrie par une guerre de décolonisation qui fut aussi une guerre civile, vécut resserrée sur elle-même, cultivant son malheur, ses particularismes et ses conflits internes, sans autre lien avec l'extérieur que l'usine pour les pères et l'école pour les enfants. Les femmes, elles, ne sortaient pas de la cité. Près de trente ans plus tard, nombre d'entre elles ne parleront toujours pas ou peu le français. Pour les habitants du centre de la ville, le Murger-Bardin, la « cité des harkis », n'était rien de plus qu'un nom. Ils n'y allaient jamais. L'essentiel était que ses habitants ne fassent pas parler d'eux. Lorsque le 11 Novembre ou le 8 Mai quelques anciens combattants nord-africains « descendaient » en ville pour participer aux manifestations patriotiques, avec leurs médailles gagnées à monte Cassino, à Diên Biên Phu ou dans la lutte contre les maquis de l'oued Berd, leur présence provoquait un malaise. Lorsque, pour faire comme leurs compagnons d'armes, ils assistaient au banquet annuel, il arrivait que surviennent des incidents. La majorité de ces familles, sentant la sourde hostilité de la ville à leur égard, n'eut bientôt qu'une obsession : tenter d'oublier le cauchemar qui avait déchiré leur pays et leur fratrie au point de faire d'eux des réprouvés; permettre à leurs enfants de s'assimiler en leur donnant des prénoms chrétiens pour qu'ils se fondent dans le moule français. Ils voyaient bien que, quoique Français par la carte d'identité, quoique blessés dans leur chair et dans leur vie au nom du drapeau tricolore, les Drouais les regardaient comme des étrangers. Pis encore : ils les confondaient avec leurs adversaires d'hier, avec ces immigrés algériens qui arrivaient en masse, tous assimilés, à tort ou à raison, au F.L.N. Aux yeux de la population locale, ces harkis n'étaient que des « bicots », des « crouilles », bref des Arabes – eux qui, pour le plus grand nombre, venaient de Kabylie et ne parlaient que le berbère... Ils étaient pourtant destinés à devenir, en même temps que Français, Drouais. Pour eux tout rêve de retour était interdit.

Le souvenir des forçats ...

Dès le XIXe siècle, le vocabulaire drouais a compté un mot pour désigner le nouveau venu. Avant de le reconnaître et de l'appeler simplement par son nom propre, il était l'« accouru ». Le terme était – et est encore – teinté de mépris, de réticence et de méfiance. Il désignait tout nouveau venu, tout étranger au « pays ». Il n'était pas alors nécessaire d'avoir franchi la frontière pour être un « étranger ». Ou plutôt, la frontière qui séparait le Drouais de celui qui ne l'était pas n'avait rien à voir avec celle de l'État. L'« ailleurs », dans la France des terroirs [1] où la distance se mesurait en temps, était ce qu'on ne connaissait pas. « L'autre », celui dont on ignorait l'histoire, les antécédents, était l'étranger. Ainsi Maurice Viollette, lui-même, avait-il fait figure « d'accouru » au début du siècle lorsqu'il était venu briguer un siège de député à Dreux. Bien que natif d'Eure-et-Loir, fils d'un notable de Janville, il était de cet « ailleurs » à l'égard duquel on témoignait de la réserve et de la crainte : Janville, chef-lieu de canton typiquement beau-

---

1. Cette France dont Eugène Weber décrit la progressive unification à la fin du XIXe siècle dans *La Fin des terroirs*, Fayard, 1986.

ceron, était loin. Il fallait alors plus d'une journée pour s'y rendre. C'était un autre pays.

Il est vrai que la ville avait connu, jusqu'à la guerre de 1914-1918, des « accourus » d'un type particulier qui allaient durablement marquer la mémoire collective : les forçats et anciens détenus libérés, interdits de séjour dans les départements de la Seine et de la Seine-et-Oise limitrophe qui, après avoir été punis, demeuraient surveillés à vie. Surveiller et punir, punir puis surveiller : Michel Foucault a démonté les mécanismes du contrôle social qui s'est construit au XIXe siècle autour de l'univers carcéral. Il nous aide à comprendre Dreux et ses peurs. Car la ville fut tout au long du XIXe siècle une étape de cette « chaîne » des forçats. Le passage de la « chaîne » était d'alleurs un spectacle offert en pâture aux femmes et aux hommes libres. Il se renouvelait plusieurs fois dans l'année, sur tout le parcours qui mène de Paris jusqu'à Brest. Parfois on venait y repérer un condamné connu : « La foule qui assiège les portes de l'auberge est composée de la plupart des habitants de Créteil », note *la Gazette des tribunaux* du 23 octobre 1829. « Ils sont venus pour voir au passage le nommé Valentin, ancien meunier de cette ville. Les yeux se rassasient de le contempler. Les enfants le montrent du doigt ... Aux mots de toutes parts répétés par les enfants : " C'est Valentin, c'est Valentin ! ", il répond : " Oui, c'est Valentin, et si vous n'êtes pas sages, vous viendrez à ma place... Ce n'est pas pour rire, que cela vous serve d'exemple " [1]. » Le compte rendu se voulait édifiant. C'était aussi la fonction de la « chaîne » que de rassurer les bons et de faire trembler les méchants.

Il s'est créé, dans les années 1960, un restaurant à Dreux qui a pris le nom de « Vidocq ». On se souvenait encore que

1. Cité in Michel Pierre, *Le Dernier Exil, Histoire des bagnes et des forçats*, Gallimard, 1989, p. 16-17.

dans cette rue, dans cette maison peut-être, s'arrêtait la « chaîne » et qu'une de ces chaînes, celle de 1838, avait déplacé toute la ville comme pour un spectacle d'une qualité rare : Vidocq en était. Ces forçats qu'on a vu passer, qu'on est venu conspuer ou regarder avec commisération, ces miséreux qui se sont arrêtés le temps d'une nuit, ont peuplé l'imaginaire local. On craignait bien sûr qu'ils ne profitent de la halte et de l'obscurité pour « rompre la chaîne » et s'évader. Des forçats libres dans la ville...

Or, leur peine achevée, d'anciens forçats « accourent » à Dreux. Ces hommes qu'on a exposé à la vindicte publique reviennent dans cette petite ville tranquille au retour du bagne, de même que d'autres condamnés à leur sortie de prison. Les surveillés de Haute Police (comme on appelle les anciens « punis ») ne sont pas tous des forçats libérés, mais parfois simplement des gens qui pour avoir connu la réclusion sont interdits de séjour dans la Seine et les départements voisins. La proximité de la capitale, l'existence d'emplois expliquent leur venue à Dreux comme dans d'autres villes limitrophes de la région parisienne.

Malgré la surveillance de Haute Police qui fait d'eux, à vie, des « prisonniers à ciel ouvert » et limite leurs mouvements, certains sont repris par le goût de l'aventure. Ils « rompent le ban ». D'autres font souche dans la cité. Il en est même un dont les archives permettent de retracer la brillante intégration économique à Dreux. Paul Prestat a purgé une peine de cinq ans pour vol. Il va concourir à faire de Dreux une ville de la chaussure et du chausson! Employé à sa sortie de prison, en 1850, chez un certain Wolf, modeste artisan chaussonnier de la ville, il devient rapidement, grâce à ses compétences et à son esprit d'entreprise, l'associé de son employeur et l'agent du développement de ce qui va devenir une importante industrie locale. Une lettre qu'il adresse au maire, en 1860, dix ans après son installation dans la ville, témoigne de sa réussite en même temps que des contraintes qui pèsent sur le réclusionnaire libéré : « ... Le hasard et les circonstances m'ont placé comme associé, à la tête d'un établissement qui occupe 80 ouvriers et ouvrières ; nous sommes en relation d'affaires avec au moins 500 clients... ; un tel va-et-vient nécessite quelques petits voyages dans un rayon de 20 lieues. Ces voyages, si nécessaires, il m'est impossible de les faire vu que je me trouve placé sous surveillance de Haute Police... Je ne le dis pas pour obtenir une réhabilitation, mais au moins pour voyager pour nos affaires de commerce sans m'exposer à être pris comme un vagabond en rupture de ban. M. Wolf étant incapable de conduire la maison, puisqu'il sait à peine lire et écrire, jugez, Monsieur le Maire, l'entrave que cela porterait à notre commerce, si une pareille chose arrivait [1]... »

Paul Prestat est bien sûr un cas exceptionnel. Les quelques centaines de surveillés de Haute Police qui sont pendant le XIXᵉ siècle devenus Drouais n'ont pas connu, dans leur très grande majorité, une réinsertion aussi spectaculaire. Vivant en marge de la société locale, dormant dans les mêmes garnis et les mêmes quartiers, fréquentant les mêmes tavernes et estaminets, ils n'avaient pas bonne réputation. Les suppliques adressées au préfet du département par les maires ont traversé le siècle sur le thème : cessez de nous envoyer d'anciens détenus ! Ces hommes (et quelques femmes...) sont trop nombreux, ce sont de mauvais sujets, ils troublent la sécurité, ils prennent le travail d'honnêtes habitants...

Le souvenir des anciens forçats a nourri bien des fantasmes au XIXᵉ siècle. La mémoire s'est transmise même après que fut supprimée la surveillance de Haute Police. En

1. Informations et citations empruntées au mémoire de maîtrise de Laurent Percerou, *Surveillance et réinsertion des bagnards et détenus libérés à Dreux, 1820-1870*, sous la direction d'Alain Corbin, Tours, 1984.

1990, on soutient encore dans la ville que si Dreux voit arriver autant « d'accourus », autant d'étrangers, c'est parce qu'elle est une « ville ouverte ». Les Drouais entendent par là que leur ville demeure ouverte aux détenus libérés, interdits de séjour ailleurs. Il ne sert à rien de dire qu'il n'y a plus de forçats en France depuis longtemps et qu'aucune ville n'est désormais « fermée » : pour nombre d'habitants de Dreux, leur ville demeure, parce que Paris l'a décidé, le lieu d'accueil de la lie de la terre. Comment expliquer autrement la présence de si nombreux nouveaux visages ? Le mythe, tenace, continue de sévir dans toutes les couches de la société locale, même parmi les derniers arrivés. J'ai ainsi entendu, dans un stage d'insertion professionnelle, un formateur d'origine algérienne expliquer à ses élèves la présence d'étrangers à Dreux en raison de son caractère de « ville ouverte »... Cela se passait en février 1990.

Bals du samedi soir et fêtes de faubourg

Pour être accepté, reconnu, « l'accouru », version locale du « horsain », même s'il ne sortait pas de prison, devait faire ses preuves, témoigner de sa sociabilité. Des réseaux existaient encore au lendemain de la Seconde Guerre mondiale qui favorisaient l'intégration, l'inscription du nouveau venu dans la vie locale. Ceux qui ont vécu cette aventure disent qu'elle n'a pas été facile. Partis, syndicats, églises, associations et vie de quartier continuaient pourtant de jouer, à cette époque-là, un rôle de médiation entre le nouveau venu et la ville, permettant aux « accourus » de s'intégrer et d'être reconnus à leur tour comme Drouais.

Les quartiers de l'immédiate périphérie demeuraient des villages. A Saint-Thibault, au Bois-Sabot, aux Rochelles, une « commune libre » fonctionnait. La « commune libre » – celle de Montmartre, à Paris, en fournit un exemple célèbre même s'il est aujourd'hui folklorique – est essentiellement festive. Elle est un moyen de dire que, même si l'on reconnaît la commune administrative dont on dépend, on n'en a pas moins son identité. Elle sert aussi à affirmer que, le cas échéant, la population pourrait revendiquer des « franchises ». Les « communes libres » de Dreux avaient leur « maire » dont la principale fonction était d'organiser la fête annuelle du quartier. Celle-ci mobilisait les énergies de la population qui montrait son dynamisme et sa spécificité au reste de la ville. L'« accouru », à moins d'être asocial, trouvait là une opportunité de reconnaissance. S'il se proposait pour vendre des billets de tombola, pour monter un manège, pour jouer de l'accordéon, on l'acceptait aussitôt.

Jusque dans les années soixante, les immigrants sont d'autant plus vite captés par la vie associative que celle-ci est multiforme et, au-delà du quartier, rassemble les habitants de toute la ville en fonction des centres d'intérêt. Si l'on n'est pas ancien combattant, on peut être chasseur, pêcheur à la ligne, parent d'élève ou supporter du Football-Club... Autant d'occasions de se regrouper et, une fois par an au moins, de danser. Il n'y a pas de samedi sans bal et chaque bal est justement organisé par une de ces associations locales. Les bals du samedi soir ont lieu à la salle des fêtes, au centre de la ville. Les uns sont chics et chers, comme celui de l'Union Commerciale ou celui de la Marine. Ceux-là ont les moyens de faire venir un orchestre de Paris. D'autres sont plus populaires, ils font danser au son d'une formation locale. Le bal de l'École d'horlogerie bénéficie d'une considération particulière. Les Drouais s'y rendent par sympathie pour cette institution qui donne à leur ville des raisons de fierté : les professionnels qu'on y forme ont une qualité reconnue au plan national. Et puis ce bal a du panache : il s'ouvre sur le quadrille des lanciers. Dans la semaine qui précède, les élèves de l'école, en uniforme bleu marine, demandent solennellement aux pères de jeunes filles de la ville l'autorisation d'enlever leurs demoiselles pendant quelques heures. Dans la petite bourgeoisie commerçante, les parents regardent avec faveur ces jeunes gens qui auront bientôt un « métier en main ». Ils pourraient faire des gendres tout à fait acceptables. L'autorisation est donnée avec émotion. Sait-on jamais...

Quelle que soit la puissance organisatrice, au bal on se mêle, on se rencontre même si les différences sociales, c'est évident, ne s'effacent pas totalement. On les retrouve dans la géographie de la salle : les bourgeois réservent leurs tables – plus on est près de l'orchestre plus on est considéré – alors que les employés et les ouvriers restent debout, au fond, quand ils ne dansent pas. Ils vont se rafraîchir au foyer. Mais on danse ensemble. La nuit et la fête font reculer les différences et la qualité du danseur importe plus que son statut social. Il est impensable que les élus ne fassent pas, vers minuit, une apparition. Ils sont les invités de la société locale qui organise la soirée. Celle-ci supporterait mal – et les conséquences pourraient être électoralement lourdes – de ne pas être honorée de la présence du maire et de ses adjoints. L'élu y trouve son compte : il serre des mains, fait quelques tours de piste puis rentre se coucher estimant que la « corvée » du samedi soir a du bon : il a rencontré beaucoup d'électeurs.

Les bals comme les fêtes de quartier connaissent leur apogée dans les années 1950. Les uns et les autres s'étiolent ou disparaissent, pour les secondes dès les années 1960, pour les premiers dans les années 1970 en même temps que se transforment les modes de vie et de travail, en même temps que la ville voit croître sa population. Des formes de sociabilité disparaissent sans que de nouvelles n'émergent au moment où des populations nouvelles affluent.

1954-1975 : la population double

La fracture qui s'est produite dans l'histoire de la ville, conséquence de l'industrialisation de l'après-guerre, est d'ordre démographique. Il s'agit bien d'une fracture même si on ne peut la dater comme on le fait d'un événement. Elle est moins un fait immédiatement perceptible qu'un processus, une série de phénomènes sur l'instant impalpables. Et ce n'est qu'en lisant les séries statistiques, en les traduisant en courbes, en les inscrivant dans ce que les historiens appellent le «temps long» qu'on en perçoit l'ampleur. L'évolution démographique de Dreux, de 1954 à 1975, apparaît alors comme une révolution, certes silencieuse, mais plus lourde de conséquences pour la ville que toutes les guerres qu'elle a subies.

En 1900, Dreux comptait 9 718 habitants. En un siècle, sa population avait grandi mais pas tout à fait doublé. Entre les deux guerres, la ville a gagné des habitants en dépit de l'hécatombe de 1914-1918, des classes creuses et de la faiblesse de fécondité. Des migrants de la terre, mais aussi des Italiens qui fuient le fascisme et, en 1939, des républicains espagnols s'installent à Dreux. Au lendemain de la guerre, Dreux compte un peu plus de 14 000 habitants : une grosse bourgade.

C'est à partir du milieu des années 1950 que naît la ville d'aujourd'hui. Brutalement la croissance s'emballe. En vingt ans, la population double : 16 818 habitants en 1954; 33 095 en 1975. Le phénomène n'est pas singulier. Les villes françaises, dans la même période, gagnent un

72

peu plus de 15 millions d'habitants. C'est la preuve de la vitalité retrouvée d'une France demeurée tardivement rurale. C'est le signe de la modernisation du pays. La France ne fait que rattraper son retard, en termes de développement urbain, par rapport aux autres pays développés. Qui pourrait alors s'en inquiéter?

A Dreux on se réjouit, à la publication de chaque recensement, des nouveaux records affichés : la population de Dreux augmente, la population de Dreux est jeune, donc dynamique. Pour l'équipe municipale, l'afflux de nouveaux habitants est une preuve de succès. Dreux, d'ailleurs, semble être douée par la nature pour réussir : la proximité de la capitale, le charme provincial, le site au cœur de trois vallées, la taille, enfin, à l'heure où les villes moyennes sont en vogue. Une ville « moyenne » n'est-elle pas, par excellence, un pôle attractif puisqu'elle incarne l'idée même de qualité de vie? A la fin des années 1960 et jusqu'au milieu des années 1970, l'engouement est vif pour ces villes qui apparaissent comme offrant à celui qui vient s'y installer la garantie d'une intégration aisée. « La " grande ville " fait peur. La " ville moyenne ", elle, est humaine. Les maires de ces " villes moyennes " font d'ailleurs du maintien d'une dimension raisonnable de la cité un argument. Celui de Saumur, par exemple, accepte de voir sa ville participer au développement économique " mais en demeurant à l'échelle humaine ". Celui de Colmar " se veut à l'écart du gigantisme urbain ". Quant à Tarbes, selon son maire, elle est moderne, mais sans " ce caractère de gigantisme qui ne peut qu'engendrer froideur, difficulté. Elle souhaite être une ville moyenne, conserver un caractère humain " [1]. »

A Dreux, le maire, Jean Cauchon, se félicite de la crois-

---

1. Michel Michel, « Ville moyenne, ville-moyen », in *Annales de Géographie*, 1977, p. 660.

sance de sa cité et répète, dans chaque discours, que « Dreux est une ville où il fait bon vivre ». Une de ces villes modestes, parmi tant d'autres, dont on a guère de raison de parler mais qui sont sous le vent de la modernisation. Pourtant l'augmentation de la population prépare, sans qu'on le sache alors, la ville d'aujourd'hui, avec la misère de ses quartiers périphériques, ses peurs, ses tensions, son entrée aussi dans l'instabilité politique.

Bon an mal an, entre 1801 et 1900, tout s'est passé comme si Dreux avait compté en moyenne 50 habitants de plus chaque année par le double effet de l'accroissement naturel et du solde migratoire. Entre 1900 et 1950, le rythme annuel moyen d'augmentation est passé à 88 habitants supplémentaires par an. Entre 1954 et 1968, c'est en moyenne de 1 000 personnes que la population s'accroît chaque année. Pour la seule période intercensitaire 1962-1968, le solde annuel net est de 1 220 habitants de plus. La ville déborde désormais de ses limites. Ce n'étaient jusqu'à la Libération que des modestes villages qui entouraient Dreux. Ils grossissent maintenant très vite, plus vite même que la ville elle-même, et leurs populations, comme leurs activités, cessent d'être agricoles pour devenir industrielle. Une véritable agglomération est en train de naître. De 1962 à 1968, elle compte chaque année plus de 1 600 âmes de plus.

1 600 habitants de plus, à Paris, à Marseille ou à Lyon ce n'est rien ou presque. 1 600 habitants de plus dans l'agglomération drouaise c'est l'ajout, chaque année, de près de 10 % d'habitants en provenance d'ailleurs. Lorsque quelques dizaines de nouveaux venus s'installaient dans la ville au cours d'une année, on les remarquait bien sûr, on avait a priori une pointe de méfiance à leur égard, mais on finissait par les reconnaître et les connaître. Que pendant quelque dix ans, « accourent » chaque année plus d'un millier de

visages nouveaux, cela finit par donner le tournis. Et bientôt on n'a plus le sentiment d'être tout à fait chez soi.

L'évolution de la population à travers les chiffres des recensements ne suffit pas à rendre compte de l'étonnant mouvement qui s'est produit pendant ces années de prospérité, ni des mutations que Dreux a alors connues. La population a doublé, mais dans une sorte de tourbillon qui a vu des hommes et des familles arriver puis repartir, cependant que d'autres venaient les remplacer. En réalité, Dreux ne fut pour de nombreux migrants venus de Normandie ou de Bretagne, de Yougoslavie ou de Tunisie, qu'une ville étape.

L'examen de l'évolution du personnel de la Radiotechnique dans ses établissements déconcentrés apporte, dès les années 1950, des indications sur la forte mobilité de cette nouvelle population ouvrière : « Les difficultés de l'emploi sont généralement passées sous silence par les directeurs des usines pour des raisons diverses, mais elles sont évidentes lorsqu'on regarde le turn-over. Dans toutes les usines (...) un tel examen montre que si les départs tendent à se réduire en quantité et si le personnel tend à rester de plus en plus longtemps à l'usine au fur et à mesure que celle-ci se stabilise, la dominante reste cependant une rotation très rapide des effectifs ... Ainsi, en trois ans (de 1958 à 1960) c'est plus de 70 % du personnel horaire qui a quitté l'usine de Chartres. A Chartres et à Dreux on peut dire que tout l'effectif (depuis la création des usines) a été entièrement renouvelé [1]. »

1. Claude Parry, *op. cit.*, p. 155.

Jusqu'à la fin des années 60, les ruraux de Normandie ou de Bretagne, sans qu'il soit possible de les dénombrer, pèsent alors d'un poids bien plus lourd que les immigrés étrangers dans le solde migratoire. Leur déracinement, l'accueil très froid que Dreux leur a réservé, l'acclimatation à un travail industriel dur : autant d'épreuves que ces « accourus » français qui se sont sédentarisés ont dû surmonter. Mais elles l'ont été d'autant plus rapidement qu'une sorte de front commun tacite – perceptible dès les années 1970 – , des Français de souche française et européenne s'est constitué contre les immigrés maghrébins et turcs.

J'ai durement et durablement heurté les Bretons de Dreux en déclarant, dans une émission de télévision diffusée en 1982, que les Maghrébins sédentarisés dans la ville étaient victimes, toutes choses étant égales par ailleurs, de préjugés comparables à ceux que les Bretons avaient subis dans les années 1950 et 1960 lorsqu'ils s'étaient installés à Dreux. Ne prétendait-on pas, à l'époque, parmi les « vieux Drouais », que la collectivité locale était bien bonne d'accorder à ces paysans des logements H.L.M. rutilants ? N'allaient-ils pas entreposer du charbon dans les baignoires et tuer de la volaille dans les entrées d'immeubles ? En 1982, les Bretons étaient « intégrés ». Ils ne supportaient pas qu'on les compare à des Arabes – qui tuent des moutons dans leurs salles de bains ! – même si des femmes, à l'occasion d'un débat sur une radio locale, eurent à cœur de rappeler que la comparaison avait quelque fondement. Et de rapprocher l'hostilité que suscitait la coiffe de Bigouden qu'elles arboraient fièrement pour aller à la messe voici vingt ans, aux réactions violentes provoquées par le voile des musulmanes...

Les chiffres de la population, à un instant donné, ne sont que des soldes et de froides moyennes qui ne laissent entrevoir ni les visages, ni les destins complexes des individus. Ils commencent cependant à éclairer, par leur ampleur, le passage d'un ordre ancien à ce qui va bientôt être vécu comme le désordre.

On ne les regarde pas vraiment comme des « accourus » ces nouveaux « immigrés », ces hommes venus du sud des rives méditerranéennes, qui commencent à arriver vers la fin des années 1950. Ils ne donnent, en effet, aucun signe d'installation définitive, au point qu'on pense qu'ils ne sont là qu'en transit, qu'ils sont un « mal » nécessaire, mais provisoire. D'ailleurs on ne les voit guère. Ils vivent entre eux, dans leurs foyers ou dans quelques garnis que des propriétaires d'immeubles anciens du centre de la ville ont sommairement aménagés. Tout au long des années 1960, on ne les rencontre qu'à la poste où, en fin de mois, de longues queues se forment, première source d'irritation contre « l'étranger » : ils envoient leur salaire à la famille restée au pays. L'opération est d'autant plus longue que derrière le guichet on ne comprend pas toujours ce qu'ils disent. Des voix s'élèvent pour leur reprocher de ne rien apporter à la ville puisqu'ils vivent chichement, ne dépensant que le strict nécessaire. Mais au fond ce mandat qui s'envole vers l'Algérie ou le Portugal apparaît comme un signe rassurant de leur volonté de partir, un jour prochain. On peut être d'autant plus sincèrement convaincu que ces hommes rentreront chez eux qu'en effet beaucoup repartent. Mais ils sont immédiatement remplacés par d'autres, dont le destin semble devoir être le même. Combien d'étrangers sont passés par Dreux entre 1954 et

1975 ? Beaucoup plus qu'il n'en est resté. Au point qu'on a longtemps cru que le dernier flux serait un jour emporté par un ultime reflux.

C'est en 1971 que l'on trouve la première trace de l'inquiétude des pouvoirs publics locaux à l'égard de cette immigration étrangère. Au printemps de cette année-là, un fait divers qui aurait pu être tragique conduit la presse nationale à évoquer le nom de cette petite ville paisible non pas à l'occasion d'un mariage princier à la chapelle royale, mais à propos de l'immigration. Un séminaire de Rédemptoristes, situé en plein cœur de la ville, venait d'être désaffecté pour cause de crise des vocations. Il avait été transformé en foyer d'accueil de travailleurs, la plupart d'origine africaine et maghrébine. Un incendie, en pleine nuit, ravage les bâtiments. Accident ? La thèse d'un réchaud mal éteint est avancée. Mais la rumeur d'un attentat à caractère raciste circule également. En juillet 1971 un journaliste du *Monde* vient enquêter à Dreux. On apprend alors que le maire, Jean Cauchon, estime que « le niveau de la population étrangère a atteint la cote d'alerte », et qu'il a demandé au préfet « que des mesures soient prises pour stopper l'afflux des ressortissants étrangers »; que des Drouais se plaignent de ne plus oser sortir le soir par crainte de ces hommes seuls qui rôdent dans les rues; qu'un employeur drouais qui tient à rester anonyme a déclaré : « Ou bien le pays devra prévoir des structures d'accueil pour les nouveaux arrivants; ou bien, faute de personnel, mon usine devra ralentir ses activités et, à son tour " émigrer " [1]. »

Il y avait, au début de l'année 1970, dans l'agglomération drouaise, 3 622 étrangers, soit 11 % de la population. Jean Cauchon a-t-il senti que la « pression » s'accroissait ? A la fin de l'année 1971, on recense 4 211 étrangers, soit une aug-

1. *Le Monde*, 17 juillet 1971.

mentation de 16 % en une année. A-t-il perçu que si une réelle solidarité s'est manifestée dans la nuit de l'incendie (tous les étrangers ont trouvé un toit chez des « autochtones »), un courant xénophobe est en voie de développement ? En renvoyant sur l'État la responsabilité de l'immigration étrangère, il tente de se défausser. Les entreprises qu'il accueille sur les zones d'activité que la ville aménage recrutent ouvertement à l'étranger... La « question immigrée » est posée publiquement pour la première fois. Et Jean Rambaud conclut ainsi son enquête : « Trouver un équilibre, de cote d'alerte en cote d'alerte – d'un problème à un autre – c'est peut-être finalement la seule question pour Dreux. Pour tout le monde. »

Trouver un équilibre... En période de prospérité c'était difficile déjà, mais possible. Qu'une crise survienne et l'équilibre fragile n'est plus qu'un souvenir.

II

Le creuset et la crise

Aujourd'hui s'explique par hier dès lors que l'on comprend à quel point vingt-cinq années de croissance sans précédent ont bouleversé Dreux, et combien quinze années de crise profonde l'ont meurtrie. La commotion a été d'autant plus rude, pour les hommes individuellement, pour la ville collectivement, qu'elle a touché un organisme fragile. Dans l'euphorie du développement, subi plus que maîtrisé, on n'avait pas pris la peine de s'inquiéter ni de la prolétarisation de la cité, ni de l'absence de création d'emplois tertiaires, ni de la dépendance croissante de la ville à l'égard de capitaux (et de décideurs) extérieurs. On ne s'était pas non plus inquiété des conditions de vie dans les nouveaux quartiers, sur ces plateaux qui s'urbanisaient. Dès 1971, le maire de l'époque, Jean Cauchon, avait pressenti le risque de xénophobie que suscitait la présence d'une population étrangère croissante. Il s'agissait sans doute d'un sentiment diffus plus que d'une prise de conscience véritable. Le maire n'en avait pas moins, pour la première fois, fait de l'immigration étrangère le bouc émissaire d'une crise urbaine profonde.

Les travailleurs étrangers, pourtant, ne représentaient que le symptôme d'un malaise qui s'installait et dont on refusait d'analyser les multiples causes. S'en prendre aux hommes qui dérangeaient par leur étrangeté, laisser entendre qu'il était possible de stopper leur venue et demain, si nécessaire, de décider de leur reflux, c'était faire croire à la population que Dreux retrouverait, pourvu que l'État le décide, son visage et son atmosphère d'antan. C'était aussi, d'une certaine manière, imputer à ces étrangers l'origine des difficultés de la ville et les malheurs de ses habitants. Une explication simpliste, mais qui a prospéré et continue de prévaloir. Jean Cauchon, et d'autres avec lui, dénonceront avec force et sincérité la xénophobie lorsqu'elle s'installera, au début des années 1980. Mais dès le milieu des années 1970, les éléments à partir desquels se dessine le Dreux d'aujourd'hui sont en place. Rassemblés, ils ont composé un cocktail qui pouvait devenir explosif et qui, au bout du compte, l'est devenu.

Quand la croissance s'arrête

A quelle époque peut-on situer le retournement de tendance économique et démographique qui allait avoir des incidences démographiques, sociales et politiques profondes pour l'avenir de Dreux ? Sans y avoir été préparée, la ville avait « encaissé », entre 1950 et 1970, le choc d'une explosion démographique sans précédent. Elle avait répondu, dans l'urgence, aux besoins de logements. Il avait fallu, à chaque rentrée scolaire, monter des préfabriqués pour accueillir des élèves qu'on n'attendait pas. Dreux tente, à partir du début des années 1970, d'anticiper la poursuite de son développement. Les responsables locaux annoncent, en 1975, que Dreux constituera, en 1990, le cœur d'une agglomération de 80 000 habitants. A la mairie, on s'active à confectionner des plans d'urbanisme à la mesure de cette prévision, à préparer la ville de demain. Les rêves de grandeur des élus se trouvent confortés par le discours de l'administration qui croit, elle aussi, à une croissance soutenue. Une Z.A.C, véritable petite ville sur le plateau ouest qui avait jusque-là conservé son caractère agricole, est mise en chantier. Il est prévu d'y loger 20 000 habitants nouveaux. 20 000!

Nationalement, on raisonne comme si la croissance devait être éternelle. Les économistes donnent le ton. En 1973, ils sont trois, Jean-Jacques Carré, Paul Dubois et Edmond Malinvaud à signer un petit livre, l'*Abrégé de la croissance française*, qui devient immédiatement la bible des étudiants en sciences économiques. Le mot de chômage est presque absent de l'ouvrage. Les perspectives sont radieuses ou en tout cas le seraient si l'économie française n'était pas menacée notamment d'un « épuisement des réserves que constitue la main-d'œuvre peu ou mal employée dans l'agriculture... ». Leur conclusion : « Tout bien pesé, l'extraordinaire développement que la France, et bien d'autres pays, ont connu depuis la guerre ne semble pas (...) devoir se ralentir sensiblement avant pas mal d'années. L'élévation du niveau de la production et des niveaux de vie constituera sans doute le phénomène économique majeur de la seconde moitié du xxᵉ siècle » [1]. Comment pourrait-on, dans une petite ville française qui a connu un « extraordinaire développement » penser différemment ? Pourtant, sans qu'on le mesure encore clairement, l'économie drouaise est déjà entrée, à l'unisson de l'économie française, dans une nouvelle phase avant même que le « choc pétrolier » ne déstabilise durablement

1. Jean-Jacques Carré, Paul Dubois, Edmond Malivaud, *Abrégé de la croissance française*, Le Seuil, 1973, p. 263.

les économies des pays occidentaux. Il est possible de vérifier localement, dès le milieu des années 1960, les signes
d'un retournement de tendance que les historiens de
l'économie constatent également au plan national. A partir
de 1965, les implantions industrielles sont, à Dreux, à la fois
moins nombreuses et moins créatrices de main d'œuvre que
ne l'avaient été celles de la génération précédente. Simple
pause ? On ne perçoit qu'avec le recul l'importance de ce
ralentissement. Sur le moment, on a le sentiment de vivre
sur la lancée des années précédentes. Mais déjà la croissance
de la population n'est plus ce qu'elle était. Alors qu'on
construit de nouvelles cités, qu'on dessine les plans de nouveaux quartiers, Dreux cesse, sans le savoir, d'être une ville
industriellement attractive. L'arrivée de travailleurs extérieurs se ralentit. De 1968 à 1975 la population n'augmente
que de 3 000 habitants, soit une croissance annuelle de
1,7 %, contre 5,3 % par an entre 1962 et 1968. Et la croissance démographique cesse d'être majoritairement ali-
mentée, comme c'était le cas depuis la guerre, par un fort
solde migratoire. Au contraire, on remarque qu'entre le
recensement de 1968 et celui de 1975, le solde migratoire –
qui demeure largement positif dans l'agglomération – est
devenu négatif pour la seule ville de Dreux. Il y a désormais
davantage de départs (certains, il est vrai, vers les communes
périphériques) qu'il n'y a d'arrivées. L'augmentation de la
population devient tributaire du solde naturel. Comme
celui-ci demeure élevé, la ville continue de croître. En effet,
dans les deux décennies précédentes, les immigrants ont été
dans leur majorité des jeunes ménages. Ils ont eu des
enfants. En 1975, un Drouais sur cinq a moins de 10 ans et 4
Drouais sur 10 vont à l'école! Avec un taux de natalité de
27,2 ‰ (contre 17 ‰ au niveau national) Dreux est une ville
exceptionnellement féconde et jeune : le nombre des moins

de 10 ans y est de 20 % (contre 14,5 % au niveau national) et les plus de 60 ans ne représentent que 10,9 % de la population drouaise (contre 18,9 % au niveau national).

Insensiblement, entre 1968 et 1975, on voit diminuer les offres d'emploi. C'est à peine si on le remarque car le chômage demeure rare. Il n'y a pas encore d'Agence Nationale Pour l'Emploi. Un bureau de la main-d'œuvre, installé dans une baraque en planches qui date de l'occupation allemande, sert d'office de placement. Dès le matin, on y rencontre toujours les mêmes : quelques clochards qui espèrent qu'on leur offrira – ce qui arrive de temps en temps – un jour ou deux de travail comme balayeur ou comme terrassier. Mais ce n'est pas dans les bureaux chancelants de cette modeste administration que s'opère l'ajustement entre l'offre et la demande de main-d'œuvre. Il n'est pas encore nécessaire, sauf à la marge, d'administrer un marché du travail qui s'autorégule. Les gros employeurs de l'agglomération continuent d'aller chercher leurs ouvriers à l'étranger en assurant leur transport jusqu'à Dreux sans même passer par les services officiels de l'Office National d'Immigration. Quitte à régulariser sur place les immigrés introduits avec des visas de touristes! La pratique n'est pas locale mais nationale : entre 1960 et 1970, près de 65 % des travailleurs étrangers voient leur situation régularisée sur place.

Ce n'est pas non plus au bureau de la main d'œuvre que la bourgeoisie locale vient embaucher son personnel domestique. Dans les années 1950, les maîtresses de maison prenaient leur voiture et faisaient quarante kilomètres pour se rendre dans le Perche dont les villages, après avoir jusqu'au début du siècle vécu des enfants parisiens mis en nourrice, fournissaient à la ville ses « bonnes à tout faire ». Chaque maison qui se respectait avait sa « filière », son village de recrutement. Mais les jeunes paysannes disposées à s'engager dans une famille sont devenues plus rares et surtout plus exigeantes : l'emploi en usine concurrence l'emploi domestique. Qu'importe ! Les paysannes étrangères arrivent. Être à la mode, dans la décennie soixante, c'est avoir une employée portugaise ou espagnole, ces femmes de maçons ou d'ouvriers de l'industrie qui viennent rejoindre leurs époux, et qui rêvent de rentrer un jour au pays dans une maison que l'immigration leur aura permis de construire. On vante leurs qualités : outre l'ardeur à l'ouvrage, elle ne souhaitent pas être déclarées...

Chômeurs et prolétaires

Ce n'est pas encore la récession mais, dès 1970, la stagnation qui apparaît dans les statistiques. A partir de 1974, on constate que le nombre des demandeurs d'emploi dépasse désormais celui des emplois offerts. En dépit d'un mouvement de création qui se poursuit – mais pour de toutes petites unités de production – la ville va désormais vivre au rythme des licenciements, des réductions d'horaires et du chômage technique. Les tensions qui apparaissent sur le marché du travail sont liées aussi bien aux difficultés économiques qu'à la modernisation des processus de production. L'année 1976 marque, à Dreux, l'entrée brutale dans la crise et l'apparition massive du chômage. Deux grandes entreprises de l'agglomération licencient. La Skaï qui comptait 500 salariés en 1973 réduit ses effectifs de moitié. Actime ferme ses portes, licenciant près de 500 ouvriers et cadres. Ce sont, au total, près de 1 000 emplois qui disparaissent entre la fin de 1976 et le début de 1977... Le coup est terrible. Jusqu'alors, Dreux ne connaissait la crise que par les informations nationales lues dans les journaux ou vues à la télévision. Elle se croyait épargnée, n'imaginant pas que ses grosses usines aux enseignes internationalement connues pouvaient être fragiles. Elle va voir cependant, mois après mois, année après année, un nombre impressionnant de ses bâtiments industriels désertés et mis en vente sans trouver d'acquéreur. La Radiotechnique, symbole de l'entrée de Dreux dans l'ère de l'économie moderne, licencie dès 1979. La même année, la Skaï ferme définitivement les portes de vastes bâtiments qui deviennent, pour de longues années, une friche industrielle. L'imprimerie Firmin-Didot est frappée à son tour : en 1982, tout le personnel est licencié. En moins de dix ans, de 1975 à 1985, la ville et son agglomération subissent un retournement brutal de conjoncture. Ce que connaît Dreux est sans commune mesure avec ce que vivent au même moment l'est et le nord de la France, où la crise du textile, celle de la sidérurgie ainsi que la fermeture des mines de fer et de charbon bouleversent des régions entières. Sans commune mesure également avec les drames que provoquent la fermeture des grands chantiers navals, de Dunkerque à La Ciotat en passant par Nantes et Saint-Nazaire. Il n'en reste pas moins que Dreux, dans la région, fait figure de zone sinistrée : « De décembre 1974 à décembre 1977, le nombre des demandes d'emplois non satisfaites a doublé. En 1977, Dreux est la troisième zone la plus touchée de la région Centre. Au début de 1980, c'est plus de 7 % de la population active qui est concernée par le chômage dans la zone A.N.P.E. de Dreux où le marché de l'emploi enregistre alors 3 demandes pour 1 offre. Fin octobre 1983, la part de la population active au chômage s'élève à 10 % du total de celle-ci, Dreux détenant alors en la matière un bien triste record départemental. » [1]

1. Pierre-Adrien Hamelin, *Dreux : croissance urbaine et évolution politique*, mémoire de maîtrise de géographie sous la direction de Paul Bachelard, Tours, 1985.

La crise révèle à quel point, pendant les années de croissance, la ville s'est prolétarisée. L'évolution de la population de Dreux, par catégorie socio-professionnelle, le montre de façon éloquente : entre 1954 et 1975, le nombre des ouvriers a été multiplié par 3,2. Dans la même période, si le nombre des ouvriers qualifiés a doublé, celui des OS a quintuplé. Les ouvriers qualifiés représentaient 58,3 % de la population ouvrière en 1954, ils ne sont plus que 35 % en 1975, alors que les OS représentent à cette date 65 % de la population industrielle. Le développement de la ville s'est accompagné de la déqualification de sa population active. Et c'est cette population-là qui, dans la tourmente des années de crise, va plonger dans ce chômage dont on ne sort pas, ou si difficilement : le chômage de longue durée.

Les grands établissements sont les premiers touchés par la récession. Ce sont alors des centaines de familles qui, d'un coup, en pâtissent. Les dégâts se répercutent en chaîne : les petites entreprises de sous-traitance ou de service qui s'étaient créées dans l'environnement des grandes, et qui dépendaient d'elles, sont à leur tour contraintes de réduire leur activité. Souvent même elles sont acculées au dépôt de bilan. Dans les entreprises industrielles, ce sont les emplois les moins qualifiés que l'on supprime en premier. Or Dreux a grandi grâce à ces établissements de main-d'œuvre qui, longtemps, ont préféré aux machines jugées trop coûteuses des hommes payés à bas prix. L'industrie du bâtiment où les manœuvres sont nombreux et qui s'était fortement développée, s'effondre dès lors que la population cesse de croître.

A Dreux, ils sont légion ces chômeurs qui n'en finissent pas de chômer et dont on découvre, après dix, quinze, vingt ans dans la même entreprise, qu'ils ne savent ni lire, ni écrire, ni compter. Personne, jusque-là, ne s'en était préoccupé. On considère maintenant comme une tare le fait qu'ils soient analphabètes ou illettrés. Pour retrouver un emploi ou pour accéder à un stage de reconversion que l'A.N.P.E. propose, on leur demande de savoir lire. Une étude réalisée en 1989 sur un quartier de Dreux a révélé que « plus d'un tiers de la population adulte de 18 ans ne sait ni lire ni écrire ». Encore ce pourcentage ne résulte-t-il que d'une estimation puisqu'il « repose sur les déclarations des personnes... en l'absence d'une évaluation plus approfondie, (il) peut être considéré comme un minimum »[1]. Certes, les habitants du quartier où s'est déroulée l'enquête sont des étrangers. Mais ils ne sont pas tous, loin de là, des nouveaux venus. Comme le montre l'exemple d'Habib : « A 18 ans, lorsque, pour aller travailler, il est monté dans le bateau qui le menait en France, il ne savait ni lire ni écrire. A peine parler la langue. Des fonderies de Moselle aux entreprises de bâtiment, jusqu'à la Radiotechnique de Dreux où il est embauché en 1973, on lui demandera rarement de combler cette lacune »[2]. Habib a aujourd'hui près de 50 ans. Il a grandi dans les départements français d'Algérie. Il vit et travaille en France depuis 32 ans. Depuis 17 ans, il est Drouais. Ses enfants sont nés dans la ville, sont allés à l'école du quartier. Est-ce à lui qu'il faut reprocher le fait qu'il ne sache ni lire ni écrire ?

Précisons encore que l'illettrisme ne touche pas seulement les populations étrangères ou d'origine étrangère : les pouvoirs publics estiment qu'il y a plus de 5 millions de Français qui répondent à la définition que l'UNESCO donne de l'illettrisme : « ne pas savoir lire et comprendre un texte simple en relation avec la vie quotidienne ». Était-il nécessaire, pour travailler sur une chaîne à la Skaï ou sur un chantier de travaux publics, de savoir lire ou compter ? Non.

1. *Liaisons Centre*, n° 4, décembre 1989.
2. *L'Écho Républicain*, 13 février 1990.

Et maintenant qu'on demande a ces ouvriers de remplir des fiches, de lire des chiffres, de rédiger des rapports, ils ne savent pas.

A la prolétarisation de la population ouvrière s'est ajoutée une donnée socio-démographique que la croissance des années 1954-1968 avait préparée : depuis le milieu des années 1970 on a vu arriver sur le marché de l'emploi les enfants de ces prolétaires « accourus » dans la phase d'expansion. Ils sont nombreux et, le plus souvent, sans qualification alors que la modernisation de l'industrie remplace les OS par des machines sophistiquées et exige, pour conduire celles-ci, des ouvriers qualifiés. A 16 ans, beaucoup sortent de l'école en situation d'échec scolaire. Les parents se battent parfois pour les faire admettre dans un Lycée d'Enseignement Professionnel. Mais les places manquent et la sélection s'opère de façon impitoyable. Ces jeunes sans diplômes, sans qualification professionnelle entrent donc dans les fichiers de l'A.N.P.E. ou dans un de ses succédanés : les stages d'insertion sociale et professionnelle, parkings temporaires sauf pour les plus débrouillards qui, de TUC en SIVP, de « petits boulots » en « petits boulots », finissent par décrocher un contrat à durée déterminée, parfois même un emploi. Vingt ans plus tôt, les entreprises drouaises justifiaient l'appel à des travailleurs étrangers par la réticence des Français à accepter un travail dur et un salaire modeste. Ceux précisement que n'ont pas rebuté ces travaux pénibles et souvent dangereux composent maintenant le gros des files qui se forment devant les locaux de l'A.N.P.E. les jours de pointage. Pendant ce temps, les employeurs se lamentent : ils ne trouvent pas les salariés qualifiés qu'ils recherchent. L'inadéquation est telle, dans les années 1980-1985, entre les demandes et les offres d'emploi (de plus en plus rares) que ces dernières ne parviennent pas à être comblées par les demandeurs locaux. Dans l'industrie métallurgique, par exemple, il arrive que les employeurs fassent appel à des demandeurs d'emploi lorrains, formés aux techniques de production désormais exigées.

Le creux et l'ailleurs

La mutation démographique et la mutation de culture industrielle des années de prospérité ont provoqué une mutation rapide et radicale du paysage urbain. Encore convient-il, lorsqu'on parle de Dreux, d'opérer en permanence une distinction entre la ville ancienne, presque immobile, et les plateaux qui la surplombent. L'habitat s'est surtout développé sur ces derniers. Dans la période 1954-1975, le parc de logements a plus que doublé au rythme d'une urbanisation au « coup par coup », faite pour parer au plus pressé, sans plan directeur (le premier plan d'urbanisme date de 1968). On a, dans la phase de croissance, privilégié les plateaux plutôt que la vallée, le collectif (en rupture totale avec l'échelle des constructions existantes) plutôt que l'habitat individuel et associé, sans autre logique que l'urgence, l'investissement public (des H.L.M.) à l'investissement privé. Dès la deuxième moitié des années 1950, les immeubles, dit-on à Dreux, « poussent comme des champignons ». Et comme le bâtiment « va », tout va... bien. Du moins le croit-on. Les cités qui naissent, construites par des maçons Portugais, les voies qui se créent, bitumées par des manœuvres Marocains et Turcs, ne sont, pour les Drouais du centre de la ville, que des noms. Ceux qui figuraient au cadastre pour désigner les champs où poussait jusque-là le blé, ont servi à dénommer les nouveaux quartiers : le Mur-

93

ger, les Bergeronnettes, le Lièvre d'Or, la Croix Tiennac, la mare Gallot... noms charmants par leurs connotations champêtres et dont le pittoresque fleure bon les origines rurales françaises. Situés sur ces plateaux qu'on ne voit pas depuis la Grande-Rue, ou qu'on ne fait qu'apercevoir, ces nouveaux quartiers constituent un autre monde. On ne peut rien comprendre de Dreux si l'on ne sent pas cette coupure fondamentale, entre le creux et... le reste. Dans d'autres agglomérations, on parle du centre et de la périphérie. A Dreux on dit « la ville » et « les plateaux ». Impossible de traduire par « la ville basse » et « les hauts de la ville » ce qui supposerait qu'on se voie de haut en bas et de bas en haut. A Dreux, pour le bas, le haut, c'est l'ailleurs, l'inconnu. Pour le haut, le creux c'est l'histoire dont on est exclu. La géographie est ainsi faite. Il peut paraître étrange que dans une ville aussi modeste, la topographie ait une telle importance. Pour être née au centre de la ville, pour avoir vécu toute mon enfance dans un de ses faubourgs, pour avoir habité sur un de ses plateaux dit « populaires » avant de revenir ensuite au cœur de la cité, je sais à quel point on a une vision et une conception différente de la ville selon le lieu où l'on réside. « Les structures spatiales sont celles à travers lesquelles se forment les structures mentales » [1]. Ce qui est vrai de Paris l'est de Dreux, la taille de la ville n'y fait rien. Une rocade, un boulevard ou une simple rue créent une frontière, et de part et d'autre la « culture » n'est pas la même. Mieux, on s'ignore. J'ai ainsi rencontré, pendant mon mandat de maire, dans les établissements scolaires des plateaux, des enfants qui ne « descendaient » au centre de la ville que deux fois par an, pour la foire de la Saint-Denis et pour le feu d'artifice du 14 juillet. J'ai entendu des commerçants de la Grande Rue me dire qu'ils ignoraient jusqu'à l'existence de

1. Pierre Bourdieu, cité par *Le Nouvel Observateur*, 14-20 juin 1990.

la cité des Bergeronnettes, distante à vol d'oiseau de moins de deux kilomètres. Ou qu'ils ne connaissaient les Chamards que pour en avoir aperçu les tours de loin, en venant de Paris. Au centre ville, on est en plein « creux ». Les rues cossues, les immeubles chics – au moins pour Dreux – sont rassurants comme peut l'être le confort bourgeois. L'opulence et l'aisance s'y côtoient, s'y surveillent et s'y jalousent. Et on y fait front commun contre l'envahisseur. Un des lieux d'affrontement entre la ville ancienne et la ville nouvelle est l'école Godeau. Toute annonce de révision de la carte scolaire alerte les parents d'élèves et déclenche une mobilisation pour la défense du « niveau » de cette école publique, contemporaine des lois Ferry. La droite et la gauche s'unissent là-dessus et remisent leurs querelles politiques : il faut à tout prix éviter que des immeubles de l'entrée de la ville qui, géographiquement appartiennent au centre, soient rattachés à Godeau. Car ces immeubles sont peuplés de Turcs... Qu'on envoie donc les enfants d'étrangers sur le plateau sud, là où s'en trouvent déjà beaucoup d'autres... Et le directeur de l'école communale, un communiste orthodoxe, apprécié par la bourgeoisie pour sa pédagogie traditionnelle et son sens de la discipline très Troisième République, a longtemps (il a pris sa retraite en 1990) tempêté contre la mairie. Celle-ci a périodiquement tenté d'inclure dans le périmètre de Godeau ces fameux immeubles. Dès que la menace se confirmait, le directeur de l'école accordait discrètement des dérogations permettant d'inscrire des élèves Français qui n'auraient pas dû venir là. Leur présence ferait nombre et justifierait de l'impossibilité, en raison des effectifs affichés, d'accueillir les petits Turcs. J'appris ainsi par hasard, alors que j'étais maire, que mes nièces bénéficiaient d'une de ces fameuses dérogations accordées par le directeur de l'établissement! Elles auraient dû être scolarisées, en raison de leur résidence, dans l'école du plateau nord, pas à Godeau. Mais voilà... Godeau s'enorgueillit de rassembler une nomenklatura locale qui, faute d'avoir son Who's who, sait qui est qui... Voilà comment le centre ville se « protège ». Il se protège avec d'autant plus d'ardeur que la population des plateaux, au-delà du glacis des cités pavillonnaires anciennes, est essentiellement nouvelle, ouvrière, étrangère aussi. Des barbares en quelque sorte, séparés de la ville ancienne par un *limes*, invisible sur le sol mais inscrit dans les esprits. Ceux qui se considèrent comme les héritiers des Gaulois se conduisent comme les Romains du début de l'ère chrétienne à l'égard des populations étrangères...

Deux quartiers, nés pendant les « trente glorieuses », symbolisent, chacun à sa manière, la ville nouvelle. Le premier, au-delà de la Route Nationale 12 qui coupe le plateau nord en deux parties, l'une considérée comme convenable par ceux du centre ville, l'autre tout à fait infréquentable ; le second, sur le plateau sud, séparé du centre par la ligne de chemin de fer. Le premier s'appelle Prud'homme, le second les Chamards.

Un quartier de Français exclus : Prud'homme

Le quartier de Prud'homme est le plus ancien des « nouveaux quartiers » [1]. En 1950 il y avait là, dans les champs qui séparaient la ville d'un de ses hameaux, quelques baraquements en bois construits en 1940 pour abriter des réfugiés. En 1951, parce que la pression démographique commençait à se faire sentir et que des familles d'« accourus » n'avaient pas les moyens d'être logées ailleurs, on a construit en pleine

1. Sur l'histoire de ce quartier et de sa population : Daniel Bourdon et Agnès Vachette, *La cité Prud'homme à Dreux*, in *Droit de cité, à la rencontre des habitants délaissés*, Éditions l'Harmattan, 1986.

nature une trentaine de logements dits à « petits loyers » : des maisons basses, au confort sommaire, immédiatement surnommées par les Drouais de la ville « des cages à lapins ». Vues de loin, quand on passe sur la grande route, on a en effet l'impression d'être en présence de dépendances agricoles plutôt que de maisons.

On attribuera ces logements à des familles difficilement solvables, ou rejetées d'autres cités en raison de leur incapacité, réelle ou prétendue, à s'intégrer dans la vie urbaine et dans le monde moderne. En 1954, ces exilés voient les arpenteurs arriver : une cinquantaine de logements, dits cette fois de « première nécessité », sont mis en chantier. On ne prend même plus la peine de construire un toit à deux pentes, une pente suffit. C'est autant d'économisé et cela permettra de fixer des loyers abordables pour ces familles considérées elles aussi comme « associales ». En 1956, ce sont 100 nouveaux logements, des maisons basses encore, accolées les unes aux autres, qui sont livrées. Celles-là sont dites « logements municipaux Refuges ». Leur fonction, selon les termes employés par la ville dans une délibération du conseil municipal, est de « loger des expulsés, associaux et assimilés. » Cette extension se révèle rapidement insuffisante. En 1961, 90 autres logements, dans le cadre du programme national baptisé « Social de Relogement », viennent s'y ajouter. Les administrateurs des H.L.M. donneront à cet ensemble le joli nom de « cité des Aubépines ». La ville, à travers son Office Municipal H.L.M., a ainsi résolu à sa manière la question des « populations difficiles ». Elle les a rassemblées et surtout repoussées aux limites de la cité. Comme on ne les voit pas, sinon de loin, elles ne gênent personne. On sait bien sûr, en lisant les journaux locaux, qu'il se passe de drôles de choses à Prud'homme. On sait qu'il y a des clans, que les règlements de comptes sont monnaie courante et que les coups de fusil ou de couteau font partie de la vie ordinaire. La ville, son centre et même ses cités pavillonnaires des plateaux ont nourri bien des fantasmes autour du seul nom de ce quartier : la violence, l'alcoolisme, les trafics et la prostitution étaient censés y régner de façon ordinaire. Être de Prud'homme, c'était pour un jeune, être un voyou confirmé ou en puissance. Il est vrai que la chronique des faits divers accordait une large place aux adolescents et aux jeunes adultes de cette cité. Ils avaient des noms – « bien français » – qu'il suffisait de prononcer pour éveiller la peur. Ces enfants de familles souvent très nombreuses n'étaient certes pas des tendres, au moins au premier abord. Lorsque les habitants de Prud'homme « descendaient en ville », on les redoutait. Lorsqu'un des habitants du quartier voulait régler un achat par chèque, le commerçant lui demandait une pièce d'identité qu'il examinait avec méfiance. Pas un étranger pourtant dans ce quartier, mais beaucoup de pauvres, des exclus de la ville, des ratés de la modernité. En grande majorité des immigrés de la terre qui n'étaient pas parvenus à s'adapter aux règles de la jungle urbaine et industrielle. Des familles qui, au fond, aimaient et aiment toujours ce quartier où les conflits ne sont que le revers d'une vraie vie collective. L'isolement deviendra, en 1962, encore plus radical : le tracé de la déviation de la route nationale Paris-Brest – qui jusqu'alors traversait la ville par son centre – coupera en deux le plateau nord. Prud'homme se trouve au-delà, côté campagne, mais dans une campagne où la ville a déjà installé une décharge, et construira une usine de traitement des ordures ménagères. Et sur la route nationale passent 20 000 véhicules chaque jour... Pour « descendre » dans le centre-ville les habitants du quartier doivent traverser cette voie à grande circulation, les enfants notamment qui se rendent au collège. Il y aura des morts. Les élus n'ont pas exigé des ingénieurs des ponts et chaussées que soit installé un feu rouge...

La population de Prud'homme, depuis le départ, est demeurée Française. En 1963, un harki et les siens s'installent en son sein. Cette famille restera longtemps la seule présence d'origine exotique, d'ailleurs parfaitement intégrée dans cette micro-société. On a cependant continué, dans les champs voisins, à construire afin de refouler, au-delà de la route nationale, d'autres « cas difficiles ». Une cité, cette fois en hauteur, pousse, en 1968, à quelques pas des Aubépines et de Prud'homme : la cité des Bergeronnettes. Elle est composée d'immeubles en forme de barres. Dans le cadre des normes de l'époque, il s'agit cette fois d'un « Programme à Loyers Réduits ». Ces 180 logements H.L.M., exposés aux vents d'ouest qui empêchent tout arbre de pousser, permettent de « caser » une population croissante de laissés pour compte. Parmi elle, il y a désormais des étrangers, Portugais et Maghrébins dont les enfants vont se retrouver sur les bancs de l'école Paul Bert avec les petits Français de Prud'homme.

Les Chamards : « *toute la misère du monde...* »

Le second quartier qui fait fonction de repoussoir, celui des Chamards, est sorti de terre sur l'autre plateau de Dreux, dans le début des années 1960. Il devait symboliser, pour les édiles de l'époque, l'entrée de la ville dans l'ère moderne. Il est devenu l'un des modèles de l'échec de l'urbanisme des années de prospérité dont *Match* ou *Le Nouvel Observateur*, *La Vie* ou *L'Événement du Jeudi* diffusent les tristes images : espaces verts qui n'ont rien de vert depuis longtemps, boîtes à lettres éventrées, portes d'entrées d'immeubles aux carreaux cassés. Les télévisions françaises et étrangères en mal de lieux de reportages sur la misère des immigrés en France et l'échec de l'intégration y envoient leurs caméras et leurs reporters.

La pauvreté qui suinte de la cité laisse penser qu'il s'agit d'un quartier d'habitat social géré par le secteur public. Il n'en est rien. La cité des Chamards est un ensemble locatif privé. Elle a été construite par des compagnies d'assurances et des promoteurs privés. Au total, ce sont quelque 830 appartements, répartis dans une quinzaine de tours, dont certaines comptent 15 étages et qui ont été gérés jusqu'au milieu de l'année 1990 par deux sociétés distinctes qui n'entretenaient aucun lien avec la collectivité locale. Édifiées en plein « désert », aux marges sud de la commune, ces tours impersonnelles sont demeurées longtemps sans communication avec le cœur de la ville. La cité a d'abord été majoritairement occupée par des Français. Surdimensionnés par rapport aux besoins de Dreux qui ne grandissait plus aussi vite que prévu, les Chamards deviennent au début des années 1970, la cité dortoir des ouvriers de l'automobile de la vallée de la Seine, en majorité des travailleurs maghrébins. L'espoir de retour dans le pays d'origine s'éloignant avec la durée du séjour, ces ouvriers qui vivaient dans des foyers ont été rejoints par leurs familles. Les entreprises qui tenaient à les conserver leur ont proposé des logements. Et notamment, pour les derniers arrivés, aux Chamards, à Dreux. C'était loin bien sûr, mais Renault, Chrysler et Talbot assuraient le transport : toutes les huit heures, de jour comme de nuit, les cars des entreprises faisaient le va-et-vient. Mais c'était une solution provisoire en attendant un appartement dans la Z.U.P. du Val Fouré, à Mantes-La-Jolie, plus proche de l'usine. Progressivement, les logements vacants des Chamards ont été loués à des étrangers. Les Français et des étrangers « bien intégrés », dès qu'ils l'ont pu, sont partis ailleurs. Après avoir été majoritairement occupées par des Français, les « petites tours » l'ont été successivement par des Algériens, des Marocains, des Turcs, avant de l'être aujourd'hui par des Pakistanais qui travaillent dans la confection à Paris. Le *turn over* se poursuit : s'il est des locataires qui sont là depuis plus de vingt ans et qui n'imaginent pas de partir, 52 % des habitants de 1989 étaient arrivés après 1984. De quoi donner le vertige aux instituteurs des écoles du quartier qui voient leurs classes se renouveler constamment.

En 1990, les 188 appartements des « petites tours » sont occupés par 188 familles de nationalité étrangère. La dernière famille de Français a décidé de déménager en janvier 1990. Après des années de combat pour l'amélioration du cadre de vie, de lutte pour la reconnaissance des droits des locataires à un environnement décent, ils sont partis. Ni la mairie, ni la préfecture ne s'étaient révélées capables de les entendre, de comprendre l'urgence de solutions à trouver afin d'enrayer la dégradation de la cité. La mairie, s'abritant derrière le caractère privé de l'ensemble, refusait de prendre en compte le délabrement des immeubles, d'autant que la population y était étrangère. Elle avait même, en 1988, laissé couper l'eau et l'électricité pendant plusieurs jours (la première en concession municipale, la seconde gérée par une régie municipale...) parce que la société gestionnaire avait accumulé des retards de paiement. Si ces étrangers n'étaient pas contents, ils n'avaient qu'à partir ! Il avait fallu que des dirigeants de S.O.S. racisme viennent de Paris, que les télévisions se déplacent pour filmer ces familles privées d'eau, d'électricité et de chauffage, et qu'au bout du compte l'État envoie en urgence une aide financière pour que le scandale cesse. C'est alors que se dessinait enfin une solution et que l'Office H.L.M. de Dreux, sous la pression des représentants de l'État, se décidait enfin à racheter cette cité pour la rénover, que la famille Carré est partie. Le père cependant, un policier à la retraite rodé aux combats syndicaux, vient souvent faire son tour des Chamards et encourager ses vieux copains de toutes nationalités à poursuivre le combat pour la réhabilitation de la cité. Quant au fils, il a repris du service à la tête de l'amicale des locataires, à la demande de ces derniers, lorsque les occupants de deux tours, au nom de la nécessaire transformation du quartier, ont été priés sans ménagement et sans garantie de retour, de partir ailleurs pour que les travaux de réhabilitation commencent.

Les 608 appartements concentrés dans le secteur dit des « grandes tours » sont gérés par une autre société, le groupe Azur. Les loyers y sont plus élevés, le cadre moins dégradé. 175 familles étrangères et 433 familles françaises y cohabitent. Parmi ces dernières, de nombreux retraités venus récemment de Paris et de sa banlieue, attirés par la publicité faite par le propriétaire ; attirés également par des loyers très inférieurs à ceux de la région parisienne. De nouveaux « accourus » donc, des Français déracinés eux aussi qui ont été contraints, pour des raisons financières, de quitter la commune où ils avaient vécu jusque-là. Ils se sont retrouvés brutalement transplantés dans un univers sans âme. De leurs fenêtres du 10e ou du 15e étage, ils ont certes sur la campagne la vue que leur promettait la publicité. Mais quand ils sortent de leur tour, c'est pour se heurter, dans un univers de parkings, à une population jeune, étrangère et désœuvrée. Dans les conversations, entre locataires, la présence trop visible de ces jeunes, leur insolence, leur absence de civisme sont constamment évoquées, pour s'en plaindre. Pourtant on convient aussi qu'il en est de serviables et que si les enfants et les adolescents encombrent les cages d'escalier, c'est faute d'autres lieux où ils pourraient se réunir. En revanche, l'impossibilité de trouver du jambon aux Chamards, où l'épicerie est tenue par un musulman, constitue un point de fixation des tensions. Les difficultés de la cohabitation tiennent ainsi souvent à de petits faits qui finissent par prendre une importance insoupçonnée.

Ajoutons enfin qu'aux Chamards il n'y a pas d'église. Personne ne l'a prévue, personne ne l'a demandée. Depuis 1983 en revanche, une mosquée a été aménagée dans les locaux du centre commercial. Un boucher marocain, propriétaire des murs, a décidé d'offrir un lieu de culte à ses coreligionnaires. La présence de la salle de prière est signalée par un semblant de minaret. Ces retraités, *nouveaux Drouais*, dont bon nombre sont sans doute de culture et de tradition chrétienne, voient chaque vendredi une petite foule musulmane et masculine s'attrouper au pied des tours. Les cris d'alarme lancés devant la montée de l'Islam et ses dangers contribuent à répandre l'idée que ces croyants constituent une menace... L'impossibilité de trouver du porc dans le quartier n'apporte-t-elle pas la preuve que les musulmans ont silencieusement dépassé Poitiers et font la loi aux limites de l'Ile de France? Le filon est exploité par le Front National. Marie-France Stirbois, compatissante, indignée et le sourire aux lèvres, écoute et assure de son soutien : dans le cadre de la rénovation, elle se battra pour que la mosquée disparaisse.

Un agrégat de quartiers à l'abandon...

Chaque nouvelle cité construite depuis quarante ans a tenté de répondre à un niveau de ressources, à un « type » d'habitant défini par ses caractéristiques socio-professionnelles. Le devoir de la collectivité était de fournir un toit. Elle l'a fourni. Mais sous le toit gît, depuis l'origine, la différence : ici un chauffage mais c'est plus cher, ailleurs pas de chauffage et c'est « donné ». Ici il y a des étrangers, alors on peut en loger d'autres. Là il y a « associaux », on peut donc en installer encore. C'est cette « philosophie » qui a présidé au développement urbain, à la gestion du sol et de l'habitat.

Pratiquer une coupe de la ville selon un axe nord/sud en passant par le centre permet de voir comment, en trois ou quatre decennies, la croissance désordonnée de l'agglomération a recomposé un ordre fondé sur la ségrégation entre les âges, les catégories sociales, les origines régionales et nationales. Après avoir quitté le cœur de la cité où des résidences « de standing » ont remplacé les espaces laissés libres par les anciennes usines (Facel, la fonderie), on traverse les cités jardin , celles des pavillons construits du temps de Maurice Viollette. La population y est plus âgée que la moyenne et établie depuis longtemps. Il y a là des ouvriers qualifiés et des employés, souvent retraités, Français en majorité et Drouais depuis deux générations au moins. Des immeubles surgissent ensuite sans qu'on comprenne la logique de leur implantation, au point qu'on se perd dans un dédale de voies qui n'ont de rues que le nom. Les façades sont tristes, d'autres moins, parce que récemment repeintes. Il y a peu d'arbres, peu d'espaces verts, pas de bistrots. Pas non plus de coins de rue où l'on a envie de s'arrêter, de bavarder, entre voisins, de l'air du temps. On voit, en revanche, assis au pieds des tours, beaucoup de jeunes désœuvrés.

L'implantation anarchique des cités nouvelles, la médiocrité des constructions, les malfaçons multiples, les immeubles collectifs dépourvus d'isolation thermique et phonique, l'absence de commerces de proximité, le manque d'attention à l'environnement ont durablement transformé la vie drouaise. Le mal fait à la ville, à l'époque où il fallait construire vite et beaucoup, n'a pas encore été réparé, loin s'en faut. La France entière s'est émue, en décembre 1989, lorsqu'elle a appris que les Roumains ne pouvaient chauffer leur logement à plus de 13 °C. J'avoue avoir découvert avec effroi, à la veille de mon élection de 1977, que vivaient à Dreux en plein hiver dans des immeubles collectifs où il faisait moins de 10 °C, des nouveau-nés. Les façades, elles, étaient rassurantes, et trompeuses...

En 1982, Dreux a été l'une des 16 villes en France qui a bénéficié d'importants crédits de l'État dans le cadre de la « commission de développement social des quartiers » pour réhabiliter et réanimer ces zones en déshérence. L'enjeu n'était pas seulement de rénover le bâti, de repeindre les cages d'escaliers et de réparer les boîtes à lettres. Hubert Dubedout, « père » de cette opération, la concevait comme une mobilisation de tous les acteurs de la vie locale, élus, administrations, associations, habitants, pour faire naître, dans ces quartiers difficiles, le dialogue d'abord, et ensuite une convivialité fondée sur la reconnaissance de la dignité de chacun. Refaire des bordures de trottoirs et peindre en rose ou en bleu des façades grises, cela ne suffit pas à changer l'image d'un quartier, à faire qu'on y vive mieux. Le délabrement ne concerne pas seulement l'habitat : le chômage, l'ennui, le bruit, la délinquance, la drogue... tout est inextricablement lié. Pour démêler les raisons du malaise, du sentiment d'insécurité, des tensions entre familles et entre générations, il faut être à l'écoute de la demande sociale, économique, culturelle qui sourd, sans savoir toujours s'exprimer. « Il n'y a pas de démocratie du laid. Là où c'est moche, la démocratie se barre » dit l'architecte Roland Castro [1]. Il a raison. Mais ravauder des immeubles

1. *Le Monde*, 20 février 1990.

fissurés ne résout que superficiellement les problèmes et ne change pas la vie des habitants. Si la beauté à elle seule fondait la démocratie tout serait (presque) simple! La recomposition ou simplement la composition d'une vie sociale dans ces quartiers où, en l'espace que deux ou trois decennies, l'histoire, l'économie, le hasard parfois ont rassemblé des femmes et des hommes venus d'horizons divers suppose compréhension et imagination. Des millions engloutis dans l'isolation se révèlent inopérants si la vie des enfants n'est pas prise en compte, si les adultes ne disposent d'aucun espace de convivialité, si des adolescents continuent d'avoir comme lieu de rencontre des caves ou des entrées d'immeubles et comme interlocuteurs des retraités qu'ils insultent ou des gardiens qui les pourchassent.

L'urbanisme ne résout pas tout. La création d'un ministère de la ville, réclamée par l'architecte Roland Castro au lendemain des émeutes de la banlieue lyonnaise, ne ferait qu'ajouter une administration supplémentaire à toutes celles qui existent déjà. Et on voit mal comment elle pourrait prendre en charge ces jeunes, marginalisés par le chômage. La réhabilitation d'un grand ensemble et les plus beaux murs d'escalade du monde ne peuvent apaiser la rage qu'ils éprouvent à se sentir exclus. Ce n'est pas un ministère de plus qui les aidera à penser leur avenir.

Des résultats positifs peuvent néanmoins être obtenus et le travail réalisé depuis une dizaine d'années porte lentement ses fruits. Le Val Fourré à Mantes-la-Jolie, les Minguettes à Vénissieux, la cité des « 4 000 » à la Courneuve, étaient au début des années 1980 des « points chauds », bien plus chauds que les Chamards à Dreux. Aujourd'hui, même si l'équilibre y demeure fragile, ces quartiers ne font plus parler d'eux sauf comme modèles de réhabilitation réussie grâce à une dynamique sociale qui a mis en mouvement, autour des élus, l'ensemble des partenaires administratifs et associatifs. Ces quartiers ne seront pas à l'abri d'embrasements aussi longtemps qu'il y demeurera des poches d'exclusion. Mais les crises, aussi douloureuses qu'elles soient, ne doivent pas être ressenties comme un échec. Elles sont des signaux dont il faut tenir compte. Devant les cendres encores chaudes des voitures calcinées, le maire de Vaulx-en-Velin déclarait qu'il ne baisserait pas les bras. Qu'il faudrait réparer, vite, ce qui avait été détruit. Qu'il faudrait surtout essayer de comprendre ce qui s'était passé, pour éradiquer les causes de la rage destructrice. Pour aller de l'avant...

A Dreux, la lecture de la presse régionale permet de mesurer à quel point la situation continue de se dégrader faute d'une politique locale affirmée. Les derniers jours du Ramadan ont été, au printemps de 1989, des jours de fièvre. Sur le plateau sud, le plus peuplé et le plus « immigré » de la ville, une bande de très jeunes collégiens a joué à « l'intifada » : voitures attaquées à coup de pierre, raids sur les grandes surfaces... La pluie est venue opportunément calmer les esprits et rafraîchir les énergies. Pendant l'été qui a suivi, dans le même quartier, quelques échauffourées se sont produites et les voitures de la police ont été régulièrement prises pour cible. Depuis, les incidents se multiplient. La grande surface du plateau sud, seul point d'attraction d'un immense quartier, est devenu un pôle de fixation de la violence. Il n'est guère de semaine qui n'apporte son fait divers et n'alimente la chronique locale de la peur et des réactions qu'elle provoque : toujours plus de vigiles dans les grandes surfaces, des propriétaires qui s'organisent pour se défendre contre l'intrus, des cars urbains qui desservent les zones à risques avec des policiers à bord...

En revanche, les militants associatifs qui s'efforcent d'éviter que les fils d'un tissu social fragile ne se brisent définitivement sont de plus en plus rares. La mairie, enfoncée dans son creux, l'administration, engoncée dans ses procédures, n'entendent pas les appels au secours de ces hommes et ces femmes de terrain. Pis encore : élus et fonctionnaires les redoutent et tentent de les réduire au silence. Le temps est loin déjà du grand souffle que faisait passer sur l'administration l'esprit de concertation et de dialogue des débuts du premier septennat de François Mitterrand. Les Zones d'Éducation Prioritaire lancée par Alain Savary, les Missions locales d'insertion sociale et professionnelle des jeunes inventées par Bertrand Schwartz, la prévention de la délinquance et les travaux d'intérêt général comme peine de substitution à la prison, impulsés par Gilbert Bonnemaison, tout cela a fait long feu.

L'instauration du revenu minimun aurait pu être l'occasion d'une remise à flot des exclus à travers les actions de réinsertions prévues dans la loi. Curieusement, le gouvernement de Michel Rocard dont on aurait pu attendre la mise en pratique de discours novateurs sur la société civile, a préféré la déconcentration à la décentralisation. Autrement dit, le pouvoir a été donné à l'administration plutôt qu'aux élus et aux associations. Sauf là où des élus encore enthousiastes trouvent l'énergie suffisante pour résister à la reprise en main par les fonctionnaires du pouvoir souverain qu'ils ont été contraints de partager au lendemain de 1981, la régression engagée en 1986 se poursuit. Pour Michel Rocard, l'hommage à la « société civile » a consisté à faire entrer au gouvernement des personnalités qui n'avaient pas l'expérience de la vie politique et de ses chausse-trappes. Dans la pratique cependant, ce qui pouvait être recentralisé l'a été. Les expériences lancées au début du premier septennat de François Mitterrand, qui consistaient à prendre en compte les acteurs sociaux dans les processus de décision et dans la gestion de la vie quotidienne, ont été abandonnées. L'administration, elle n'a pas changé ses habitudes. Or, l'administration supporte mal la négociation, la concertation, l'inventivité. Elle ne connait que les normes, les priorités inscrites sur le papier, les décrets et les circulaires qu'elle se charge d'ailleurs d'interpréter.

Nombreux sont les militants qui, las de se débattre dans un contexte conflictuel, ont baissé les bras. Ceux qui s'accrochent au terrain sont souvent désespérés de se voir considérés comme des gêneurs par les représentants de l'Etat, alors même qu'ils ont le sentiment d'inscrire leur action dans le cadre des objectifs du gouvernement. Qu'ils revendiquent ou simplement proposent... et les voilà convoqués chez le sous-prefet : ils font le jeu du Front National ! Quant aux enseignants, ils ne se bousculent pas pour venir à Dreux. On y envoie dans les écoles les plus difficiles des instituteurs qui sortent de l'école normale, des professeurs qui commencent leur carrière. A peine arrivés, ils demandent leur mutation. A moins, ce qui arrive aussi, qu'ils ne démissionnent...

De nouvelles formes de pathologie urbaine

D'où sortent ces jeunes, qui si l'on en croit la rumeur, sèment la terreur dans la ville ? Des Chamards ? Des immeubles de la Croix Tiennac ? Ou encore des pavillons où se sont installés des gens venus d'ailleurs ? Car ce ne sont pas seulement les barres et les tours qui génèrent la misère, mère de l'ennui et de la déviance. Les ouvriers français ou étrangers qui travaillent à Poissy, à Trappes, à Paris, partagent le même rêve : acquérir une petite maison. A Dreux les terrains coûtent moins cher que dans la proche banlieue parisienne. Les promoteurs ont fait leur office et vendu l'illusion. Or ces nouveaux propriétaires, ces « accourus » d'un type nouveau, ne sont Drouais que quelques heures par jour. Le couple quitte la ville à l'aube et rentre tard le soir. Il faut deux salaires pour payer les traites de la maison et comme à Dreux on ne trouve pas de travail, l'homme et la femme continuent de se rendre tous les jours à Paris ou dans sa région. Les enfants et les adolescents restent livrés à eux-mêmes toute la journée.

Les cités d'habitat social, de Sarcelles aux quartiers nord de Marseille, de Monfermeil à Dreux, ont nourri une abondante littérature. Ce n'est pas le cas des lotissements pavillonnaires qui ressemblent à des villages inclus dans la ville ou plantés aux frontières des communes rurales. De nouvelles formes de pathologies urbaines s'y développent pourtant, insidieusement. Pierre Bourdieu a révélé ce qui se cache derrière ces petites maisons, et montré comment l'acquisition du pavillon constitue « un des fondements majeurs de la misère petite-bourgeoise; ou plus exactement de toutes les petites misères, toutes les atteintes à la liberté, aux espérances, aux désirs, qui encombrent l'existence de soucis, de déceptions, de restrictions, d'échecs et aussi, presque inévitablement, de mélancolie et de ressentiments ». Il remarque à juste titre comment « ce " peuple " à la fois mesquin et triomphant n'a rien qui flatte l'illusion populiste. Trop proche et trop lointain, il attire les sarcasmes ou la réprobation des intellectuels qui déplorent son " embourgeoisement ", lui reprochant à la fois ses aspirations mystifiées et son incapacité de leur apporter autre chose que des satisfactions tout aussi mystifiées et dérisoires, bref, tout ce que

110

condense la dénonciation du mythe pavillonnaire » [1].

En parcourant les plateaux de Dreux, entre deux blocs de tours, ou aux marges de la commune, on bute sans transition sur ces lotissements : rues tracées au cordeau, petites maisons neuves et protégées par une barrière et un gros chien. Ces maisons standardisées et regroupées ont été, depuis une quinzaine d'années, casées dans les vides (les « dents creuses » disent les urbanistes) entre les ensembles de tours ou de barres. On a voulu ainsi résister à la concurrence des villages voisins qui enlevaient à Dreux des habitants désireux d'accéder à la propriété. Ces citées pavillonnaires rassemblent une population d'ouvriers ou de cadres moyens qui découvrent, avec l'individualisme, l'angoisse des traites impossibles à honorer, des saisies-arrêts sur salaire qui révèlent à l'entreprise l'endettement de son salarié. Que le licenciement tombe et c'est le drame. Circuler dans ces lotissements, c'est deviner, derrière des volets fermés où une pancarte est apposée, « vente par saisie », qu'une tragédie s'est jouée là : le chômage qui a emporté le rêve, renvoyé au H.L.M.

Quels sont les modèles de ces jeunes dont les méfaits alimentent quotidiennement les colonnes de la presse locale ? Leurs frères aînés, quand ils en ont, ou bien ceux des copains. A 17 ou 18 ans, les portes de l'école se ferment derrière eux. Ils se retrouvent sans travail, à la charge d'une famille qui leur reproche, alors qu'ils sont à peine entrés dans l'âge adulte, leur échec. A la rentrée scolaire de 1990, sur le plateau sud, une cinquantaine de jeunes – des garçons – sont ainsi « sortis » des collèges du quartier ou plutôt en ont été sortis. Les collèges n'en voulaient plus. Parce qu'ils étaient trop « vieux » ou trop « difficiles ». Pas de place pour

1. Pierre Bourdieu, in *Un signe des temps, Actes de la Recherche en sciences sociales*, mars 1990.

eux dans les lycées, ils avaient un niveau insuffisant. Et voilà cinquante jeunes de plus, venus s'ajouter à ceux des années précédentes, rejetés eux aussi et déjà résignés. Ils rejoignent, dans la « galère »[1], leurs aînés et, à l'automne de 1991 accueilleront la « promotion » suivante. Quelques-uns, pressés par leurs parents, iront pousser la porte de la Mission locale[2]. Avec un peu de chance ils se verront proposer un stage d'insertion professionnelle. Mais là encore l'administration veille, jalousement, sur ses prérogatives. L'Etat finance la formation professionnelle des jeunes et des adultes en difficulté. Il entend donc se la réserver. Le secteur associatif qui s'est investi dans l'éducation permanente en reçoit les miettes. L'éducation nationale accapare en revanche, à travers ses GRETA[3], la plus grosse part du gâteau. Ainsi nombre de ces jeunes, mis à la porte du système scolaire, se voient-ils orientés vers des stages qui se déroulent dans l'établissement scolaire symbolisant leur échec, encadrés par les professeurs qui les ont exclus et qui vont trouver là un complément de salaire, utile soupape au malaise des enseignants.

Les petits frères (les sœurs ne font pas parler d'elles, elles misent sur la réussite scolaire qui, espèrent-elles, leur ouvrira les portes de la liberté) n'ont d'autre horizon que l'A.N.P.E. ou les stages parkings. Faute d'un réseau associa-

1. François Dubet a donné ce titre à un livre sur les jeunes en difficulté dans les banlieues urbaines, Fayard, 1987.
2. A la suite du rapport de Bertrand Schwartz de 1982 des « Missions locales d'insertion sociales et professionnelles des jeunes » ont été créées dans la plupart des villes de France pour accueillir, écouter, orienter les jeunes de 16 à 25 ans. Conçues comme des administrations « de mission » elles ont tendance, même s'il existe des exceptions, à se comporter comme des administrations classiques et ont trop souvent oublié la philosophie de leur père fondateur pour fonctionner comme des A.N.P.E. pour les jeunes demandeurs d'emploi.
3. Le sigle signifie « Groupement d'établissements ». Il s'agit en réalité d'une structure interne à l'Éducation nationale dont la vocation est de se consacrer à l'éducation permanente.

tif et d'une politique municipale capable de relayer les parents absents ou impuissants, ces jeunes se retrouvent livrés à eux-mêmes, sans autre référence que la « bande » qui choisit ses « chefs » en fonction de leur capacité à affronter et à défier la police. Celle-ci est impuissante et souvent désespérée : que faire de ces jeteurs de pierres, de ces briseurs de vitres, de ces voleurs de scooters et de voitures qui n'ont parfois que 12 ou 13 ans ? « ... Je viens d'arrêter un jeune Français de 16 ans et demi qui en est à son 300e larcin. Que faire de lui ? Le mettre en prison ? Notre système pénitentiaire n'est pas adapté à ce genre de délinquance. »[1] Ainsi s'exprimait en juin 1990 le commissaire de police de Dreux devant un journaliste qui l'interrogeait. On demande aux forces de l'ordre de combattre les effets d'une situation pour éviter d'en traiter les causes. Augmenter les effectifs du commissariat comme le réclament les élus, de la gauche au Front National, ne fait que rassurer – et encore ! – « l'opinion ». Les jeunes, à travers leurs comportements déviants et par conséquent dérangeants, ne font que révéler les symptômes d'un mal autrement plus complexe et profond.

Au terme d'une visite qui s'évade des circuits touristiques, il faut admettre que Dreux n'existe pas, qu'elle n'est qu'un rassemblement d'une vingtaine de quartiers séparés, un agrégat inconstitué de populations désunies. Et en son sein, des étrangers, toujours plus d'étrangers...

1974 : La France ferme ses frontières

D'où viennent ces « migrants » qui, en 1971 déjà, étaient considérés comme trop nombreux par le maire de la ville ? Depuis les années 1950, ils ont débarqué avec leur valise en

---

1. Cité dans *La Vie*, 21 juin 1990.

carton pour faire tourner les usines de montage et pour construire les immeubles des quartiers nouveaux. En 1954, ils représentaient 1,4 % de la population ; en 1968, 7 %, en 1970 plus de 10 %. Dans l'agglomération de Dreux-Vernouillet[1] on recense au début de l'année 1971, 3 622 étrangers de 31 nationalités différentes. Dans le peloton de tête figurent, par ordre d'importance, les Portugais (975), les Espagnols (774), les Marocains (544), les Algériens (443), les Italiens (362). Loin derrière, deux pays sont représentés de façon significative : la Tunisie (147 ressortissants) et la Yougoslavie (120). Les Turcs ne concourent alors qu'à dose homéopathique à l'exotisme local : ils sont 22. Il n'y a pas un seul pakistanais, pas un seul Malien, pas un seul Zaïrois.

Lorsqu'en 1974 le gouvernement prend la décision de fermer les frontières en raison de l'augmentation du chômage au niveau national, il y a dans l'agglomération de Dreux-Vernouillet 5 623 étrangers. L'appel de détresse lancé par le maire en 1971 est resté sans effet : en 4 ans, de 1970 à 1974, le nombre d'étrangers a augmenté de 55 %. Pendant cette courte période, la structure par nationalité de la population étrangère s'est profondément modifiée. Les Portugais restent les plus nombreux. Leur effectif a même augmenté de 70 %. Ils tendent cependant à être sérieusement concurrencés par les marocains dont le nombre s'est accru de 160 %. Les Algériens et les Tunisiens sont également en forte hausse (82 % pour les premiers, 80 % pour les seconds) cependant que les ressortissants espagnols et italiens déclinent. Que s'est-il passé au cours de ces quatre années qui précédent la fermeture des frontières ? Comment expliquer cet accélération de l'afflux ? L'étude du fichier des

1. Les statistiques de la préfecture, jusqu'en 1980 ont confondu les deux communes qui correspondent à une même circonscription de police.

résidents étrangers immatriculés à Dreux en 1973 et les statistiques, entreprise par entreprise, de l'évolution des salariés
dans l'arrondissement de Dreux entre 1970 et 1974 four-
nissent des informations précieuses pour comprendre le processus d'installation des étrangers. On constate d'abord que,
de 1970 à 1974, les entreprises de main-d'œuvre de l'agglomération drouaise – qu'ils s'agisse d'entreprises de l'industrie mécanique, électronique ou du bâtiment – voient leur
proportion d'ouvriers étrangers croître. C'est le cas pour la
Radiotechnique où, de 1970 à 1974, le nombre d'immigrés
continue d'augmenter : 174 étrangers supplémentaires en
quatre ans soit, en pourcentage des effectifs de l'entreprise,
37,5 % contre 36 % quatre ans plus tôt. On observe la même
évolution, de façon encore plus significative, à l'usine
Comasec, spécialisée dans les vêtements de protection en
caoutchouc. En 1970, sur un total de 170 salariés, 30 – soit
17 % – étaient des étrangers. En 1974 sur 389 salariés, 92
sont de nationalité étrangère soit 30 % de l'effectif. Une
entreprise de travaux publics, Bourdin et Chaussée, créée en
1972, témoigne de l'appel à l'extérieur dans ce secteur, alors
en pleine activité : en 1974, elle emploie 119 ouvriers dont
64 sont des étrangers, soit près de 54 % de l'effectif. On peut
également constater, en confrontant l'adresse des résidents
étrangers et leur lieu de travail, que Dreux n'est pas seulement une ville où les immigrés sont recrutés par les entreprises locales avides de main d'œuvre sans qualification,
mais qu'elle devient une ville dortoir pour les ouvriers tra-
vaillant dans la région parisienne et, dans une moindre
mesure, dans l'ensemble du département d'Eure-et-Loir.
Cela est particulièrement vrai pour les étrangers. En 1973,
424 travailleurs immigrés travaillent hors de Dreux et de son
agglomération. La liste des résidents de nationalité marocaine est significative du mode de développement démo-

graphique de Dreux. 738 marocains (hommes, femmes et enfants) sont recensés dans la ville. Parmi eux 163 « actifs » sont employés hors de Dreux et de son agglomération. Parmi eux, 40 travaillent dans le département, le plus grand nombre dans une usine de Nogent-le-Roi, commune distante d'une vingtaine de kilomètres. Les autres ont un emploi dans la région parisienne, les gros bataillons étant des salariés de l'industrie automobile : Simca et Chrysler à Poissy, Renault à Flins ou Aubergenville, Fiat Unic à Trappes... La troisième information que nous livre cette étude, c'est qu'en 1973, 602 travailleurs étrangers (sur les quelque 3 000 adultes recensés) sont logés dans les foyers construits pour les accueillir par les entreprises qui les emploient localement (foyers de la Radiotechnique ou de Bourdin et Chaussée) et dans ceux de la Sonacotra. Une population d'hommes seuls, installés parfois dans des conditions misérables : un rapport de police signale que des travailleurs du secteur des travaux publics, des Portugais, des Marocains et des Turcs, sont entassés dans des bungalows en bois équipés de lits superposés et d'un évier dépourvu de raccordement. Ceux qui ont été rejoints par leurs familles vivent dans le parc locatif privé – le vieux Dreux pour les vagues d'immigration latine, les Chamards pour les Maghrébins et les Turcs plus récemment arrivés – et, dans une moindre mesure, dans les H.L.M. de Dreux ou de Vernouillet.

La population étrangère demeure, en 1974, à dominante masculine. Les femmes adultes ne représentent encore que 33,5 % des résidents étrangers. Le regroupement familial, premier signe d'une installation de longue durée, a cependant commencé de toucher les populations extra-européennes. Il est déjà très avancé pour les immigrés les plus anciennement arrivés, espagnols (43 % de femmes) et portugais (40 %). Les populations maghrébines et turques

demeurent, en revanche, à majorité masculine : 63 %
d'hommes dans la population adulte marocaine et 83 % dans
la population turque.

1990 : toujours plus d'étrangers

Quel que soit le gouvernement en place, les pouvoirs
publics, depuis juillet 1974, n'ont cessé de répéter que « les
frontières sont désormais fermées ». Les Français ont ainsi
pu croire qu'aucun étranger n'entrerait plus en France, de
même qu'ils ont longtemps pensé que ceux qui s'y trou-
vaient déjà repartiraient « chez eux » : les pouvoirs publics
n'avaient-ils pas proposé à grand renfort d'annonce médiatique « l'aide au retour » pour les ouvriers dont on n'avait
plus besoin [1] ? Pourtant, au 1er janvier 1990, près de seize ans
après la « fermeture des frontières », on dénombre, dans
l'agglomération drouaise, 11 573 étrangers, soit plus du
double du chiffre de 1975. Le nombre de nationalités repré-
sentées a plus que doublé lui aussi : 67 au lieu de 31. En tête
viennent maintenant – et de très loin – les Marocains
(4 870), devant les Turcs (1 915) qui désormais devancent les
Portugais (1 535). Les Algériens ont retrouvé leur niveau
de 1973, après avoir atteint un maximum (1 510) en 1980 :
ils ne sont plus que 660. Les Tunisiens (547) devancent
désormais les Espagnols qui ne sont plus que 170. Et, si les
Italiens sont plus nombreux que les Pakistanais, ces derniers ont fait une percée spectaculaire : il y en avait 2 en
1974, mais 302 au 1er janvier 1990. Des nationalités. Des
nombres. Et derrière les chiffres une mutation profonde de
la composition de la population. En 1971, les Drouais

1. Cette politique, inaugurée en 1977, avait été vigoureusement critiquée par la
gauche. En 1984, le gouvernement de Pierre Mauroy a cependant renoué avec
l'aide au retour, sans d'ailleurs beaucoup de succès.

s'effrayaient de ce que les étrangers soient des hommes seuls : quand on est déraciné et sans attache on est, mumurait-on, potentiellement dangereux, menacé par l'alcoolisme, menaçant pour les femmes du cru. En 1990, ce qu'on reproche aux étrangers, ce sont maintenant leurs enfants. Même si les hommes demeurent toujours surreprésentés dans la population étrangère, celle-ci a progressivement tendu à se rapprocher de la composition de la population locale, le nombre d'enfants et d'adolescents devenant un facteur d'irritation pour les autochtones. C'est vrai pour l'école, c'est vrai aussi pour le logement qu'il soit collectif ou individuel. Ces Français, « accédants à la propriété » comme on les nomme pour signifier qu'ils n'ont pas fini de payer leurs maisons, ont quitté la Z.U.P. ou la Z.A.C. parce que la cohabitation avec des familles maghrébines tournait au cauchemar. La présence de celles-ci les dérangeait à deux titres : des enfants nombreux, une image de la cité – donc d'eux-mêmes – dévalorisée. Ils se sont laissés séduire par le catalogue d'un promoteur et au-delà de la maison, « ce produit dans lequel la composante symbolique entre pour une part spécialement forte »[1], ils ont rêvé d'une vie à l'image des publicités : des enfants heureux, des voisins qui vous ressemblent. Or voilà que dans le lotissement, ils retrouvent d'autres arabes! Ces derniers ont même souvent de plus grandes maisons car ils bénéficient d'une aide au logement particulièrement élevée puisqu'elle est calculée en fonction du nombre d'enfants à charge!

Entre 1975 et 1982, on a noté une nouvelle rupture de rythme de la démographie : pour la première fois depuis le début du siècle, la population de la ville de Dreux a cessé

1. Pierre Bourdieu, *op. cit.*

d'augmenter. Le solde migratoire y est devenu fortement négatif : en 7 ans, 3900 habitants ont quitté la ville sans être remplacés, sauf par des nouveau-nés. Un solde qui résume un mouvement complexe. Des Français et des étrangers sont partis, mais en proportion inégales. Des étrangers et des Français sont arrivés mais avec un poids supérieur pour les premiers : « Entre 1975 et 1982, écrit Paul Bachelard, Dreux a vu diminuer sa population française de 1 395 personnes et augmenter sa population étrangère de 2 050 personnes (conséquence des regroupements familiaux). Ce double mouvement a contribué à faire passer la proportion des étrangers dans la population drouaise de 15 % en 1975 à 20,8 % en 1982, avec une répartition très inégale selon les quartiers. Les taux sont passés, entre les deux recensements, de 7,5 % à 9,3 % dans la vallée, de 10,4 % à 12,7 % pour le plateau nord et de 20,4 % à 31,2 % sur le plateau sud, où les étrangers atteignaient 60 % à la résidence des Chamards en 1984 »[1].

Selon une première indication, entre 1982 et 1990, Dreux aurait, au terme du dernier recensement, gagné 2 198 habitants. Dans la même période, les chiffres fournis par la préfecture au vu des titres de séjours délivrés, indiquent que le nombre d'étrangers à Dreux a augmenté de 2 242 personnes. La reprise de la croissance démographique de la ville serait, selon les apparences, due à l'augmentation des étrangers... Encore convient-il d'être circonspect : en matière de dénombrement des étrangers, les distorsions ont toujours été importantes entre les statistiques fournies par le ministère de l'intérieur et celles livrées par les recensements[2].

1. Paul Bachelard, *La région Centre*, in *Géopolitique des régions françaises*, sous la direction de Yves Lacoste, t. 1, p. 683.
2. Ainsi le recensement de 1982 démombrait-il 3,7 millions d'étrangers en France alors que le ministère de l'Intérieur, au 31 décembre de cette même année

119

A Dreux, les foyers construits par les entreprises se sont vidés et ont dû être reconvertis. Les étrangers, rejoints par leur familles, se sont intégrés dans la ville. Ils occupent maintenant des immeubles ou des pavillons. Ils sont devenus locataires mais aussi propriétaires. Ils ne sont pas assignés à résidence dans des « quartiers réservés ». Aussi prononcer le mot de ghetto, évoquer, comme on le fait par facilité, l'existence de « ghettos ethniques » constitue un abus de langage. On constate, certes, de fortes concentrations de populations immigrées dans certains secteurs. Mais « l'immigration » ne constitue pas une ethnie. Ainsi, dans les petites tours du quartier des Chamards, Algériens, Marocains, Turcs, Pakistanais et d'autres encore cohabitent.

« ...Bien que le discours assimilateur des responsables politiques ait constamment souligné les dangers des " noyaux allogènes " et multiplié les conseils pour " disséminer " les nouveaux venus dans le pays, les intérêts économiques supérieurs de la nation ont abouti à un résultat exactement inverse »[1]. Cette remarque de Gérard Noiriel trouve son application à Dreux. Les entreprises automobiles de la vallée de la Seine toujours à la recherche de logements à bon marché, et la société gestionnaire des petites tours des Chamards qui a contrôlé l'offre, ont vu leurs intérêts se rejoindre. Et les étrangers ont été naturellement complices. Quand on est un immigré, on éprouve naturellement le besoin de se regrouper pour se protéger contre l'hostilité dont on est l'objet dans la société d'accueil, voire pour entretenir, entre soi, la

comptabilisait un peu plus de 4,4 millions de cartes de séjour. Cette différence s'explique notamment par le fait que les services de police sont dans l'impossibilité de tenir compte des retours aux pays, les étrangers n'étant pas tenus de rendre leur titre de séjour à la sortie du territoire (sauf octroi d'une aide au retour).

1. Gérard Noiriel, *Le Creuset français*, Le Seuil, 1988, pp. 172-173.

mémoire des origines. « A partir d'un noyau initial d'individus qui, après des années de migration saisonnières, ont
décidé de se fixer, se constitue une filière d'auto-
recrutement, sur une base familiale ou villageoise. En
quelques années, une véritable communauté peut-être
fondée, entretenue parfois pendant des décennies, par ali-
mentation aux même sources » [1]. Cette autre remarque de
Gérard Noiriel se vérifie encore à Dreux. Un travailleur
social, lui même venu de Turquie, raconte comment, au
début des années 1970 des Turcs se sont regroupés : « ...
Un ouvrier de Simca à Poissy a bénéficié d'un logement
aux Chamards, suite aux publicités faites par l'entreprise.
Ayant fait connaissance avec le gardien des petites tours...
avec qui il sympathise, il tente d'obtenir des logements
pour ses collègues turcs qui lui demandent d'intervenir
en leur faveur moyennant " un petit cadeau ". Cela
marche et c'est ainsi que les ouvriers de Simca s'installent aux Chamards et font bientôt venir leurs
femmes... » [2]. Cette filière d'« auto-recrutement » corres-
pond également à une même aire géographique d'émigra-
tion : les turcs du quartier viennent de deux ou trois villages d'Anatolie. A partir de 1985, l'installation des
Pakistanais a répété le processus. Trente ans plus tôt les
Bretons de Dreux étaient eux aussi venus, majoritairement, du même petit pays et avaient « colonisé » quelques
quartiers avaint d'essaimer dans l'agglomération.

Les petites tours des Chamards, occupées entièrement
par des étrangers, ont eu pour fonction de servir de sas.
Elles ont constitué depuis 25 ans un point privilégié
d'entrée des immigrés jusqu'à devenir un pôle multi-
national, avec un *turn over* de 10 à 15 % par an. D'autres

1. *Idem.*
2. Selcuck Kadioglu, *Essai d'analyse de l'immigration turque sur le quartier des Chamards à Dreux,* mémoire dactylographié, Institut Parmentier, 1984.

cités des plateaux, où la population française est majoritaire, font moins parler d'elles parce qu'elles n'éveillent pas l'imaginaire comme le font un quartier ou un groupe d'immeubles dont les habitants sont tous allogènes. Elles présentent pourtant des caractéristiques comparables au plan sociologique : ce sont aussi des « ghettos de pauvreté » où vivent ensemble Français, immigrés devenus Français, et étrangers. Les habitants de ces quartiers sont, en majorité, les produits de la mobilité géographique des années de croissance. Ils sont venus d'une autre région française, d'un autre pays, d'un autre continent. Tous, ou presque, à leur manière, ont immigré, vécu un déracinement dont ils attendaient une promotion sociale. La pauvreté, la précarité, l'absence de qualification pour affronter les nouvelles mutations industrielles font d'eux, maintenant, des « assignés à résidence ». Il n'est plus besoin de « surveillance de Haute Police » pour les maintenir dans la ville. C'est là qu'ils travaillent ou qu'ils pointent au chomage. Quand sur leurs écrans de télévision, ils voient soir après soir que le monde se transforme, leur destin immobile leur paraît d'autant plus insupportable.

Et le flux continue

Le maire actuel, Jean Hieaux, a beau dire qu'il n'avait en 1983 fait aucune promesse lors de sa campagne électorale, les électeurs ont, à l'époque, lu et entendu que l'immigration connaîtrait, à Dreux, grâce à une municipalité de droite, un reflux. Au même moment, le discours de ses bruyants alliés du Front National était sans équivoque. Jean-Pierre Stirbois répétait à la télévision, à la radio et dans sa propagande électorale qu'avec lui à la mairie, l'immigration reculerait. Jean-Pierre Stirbois a été adjoint au maire de 1983 à 1988 et, pendant toutes ces années, les populations étrangères ont continué d'affluer. Le Front National a su habilement tirer son épingle du jeu politique en taxant le maire de faiblesse. Jean Hieaux a réagi en rejetant la responsabilité de la poursuite de l'immigration à Dreux sur l'État et sur la politique des gouvernements de gauche. Ce discours a trouvé un écho dans la population... et profité au Front National. En réalité, ni la « faiblesse » du maire, ni la politique de l'État en matière de droit d'entrée et de séjour des étrangers ne sauraient expliquer que, depuis que Jean Hieaux est à la mairie, le nombre des étrangers ait connu une croissance de 10 %.

La première raison de cette augmentation tient à ce que les étrangers ont, eux aussi, des enfants. Si le taux de fécondité des femmes étrangères tend à s'aligner sur celui des Françaises, il demeure, en tout cas à la première génération, nettement supérieur. On constate en outre que le regroupement familial n'est pas encore totalement achevé. En dépit de la réglementation qui a transformé depuis 1984 le regroupement des familles en un véritable parcours du combattant (pour faire venir son épouse et ses enfants il faut disposer d'un appartement de taille suffisante, pour obtenir un appartement dans le parc de logement social il faut justifier de la présence sur le territoire de sa famille...) les travailleurs appartenant aux groupes nationaux les plus récemment arrivés font encore venir leurs proches.

De plus les étrangers appellent les étrangers... et pas seulement l'épouse et les enfants demeurés au pays. Dreux, vieille ville d'immigration, entretient des relations

avec bien des régions du monde où l'image de la France
est celle d'un pays de cocagne. Des hommes qui ont faim, des
familles qui sont privées du droit de s'exprimer dans leur
langue ou de pratiquer leur religion, des jeunes qui tout simplement aspirent à une vie telle qu'ils la voient au cinéma ou
à la télévision, rassemblent leurs maigres économies et leurs
énergies : ils s'embarquent pour la France, pour Dreux. Ils y
ont un parent ou y connaissent l'adresse d'un ami ou de l'ami
d'un ami. Avec un visa de touriste, ou en prenant le risque
d'un passage illégal de la frontière, ils débarquent dans le
pays qui est pour eux celui des Droits de l'Homme. Quitte à
devoir faire le voyage en sens inverse, quelques mois ou quelques années plus tard, escortés jusqu'à la passerelle de l'avion
par des policiers.

Dreux est ainsi devenue une ville de concentration de
population turque. Il semble que l'origine de la communauté
soit liée à l'entreprise Comasec qui dans les années 1970, a
recruté en Turquie des ouvriers pour des travaux particulièrement ingrats que les Français refusaient de faire au
salaire proposé. Un noyau turc s'est ainsi constitué, compre-
nant des Kurdes. Ceux-ci ont servi de tête de pont à l'entrée
en France d'opposants au régime turc, et le mouvement se
poursuit encore. Une fois la frontière franchie, le clandestin
cesse de l'être : il se présente à la Préfecture, dépose une
demande d'asile, reçoit un récépissé. Domicilié chez un
Kurde drouais, il se trouve, dès lors, en situation régulière, au
moins jusqu'à ce que les services de l'Office des Réfugiés sta-
tuent sur son sort. S'il apporte les preuves requises par le texte
de la Convention de Genève pour bénéficier du statut de
réfugié, il restera légalement en France. Sinon, il sera sous le
coup d'un arrêté de reconduite à la frontière. Les Turcs four-
nissent le contingent le plus important des demandeurs
d'asile mais ils ne sont pas les seuls. La presse locale se fait

l'écho, périodiquement, de reconduites à la frontière de demandeurs d'asile qui n'apportent pas la preuve qu'ils sont menacés dans leur pays, sinon par la faim ou une allergie au régime politique. Par exemple ce Zaïrois bien connu des Drouais du plateau sud de la ville. Judoka, sélectionné pour les derniers Jeux Olympiques, il avait goûté dans ses déplacements internationaux, les charmes de la liberté. Recruté sans difficulté par une société de gardiennage de la région parisienne, celle-ci l'avait envoyé à Dreux. Il était, depuis deux ans, surveillant dans la grande surface du quartier. Un matin de mars 1990, les habitants ont appris par le journal qu'il avait été arrêté et emmené à Orly pour être embarqué dans un avion à destination du Zaïre.

Cependant, les naissances, la réunion des familles séparées et l'arrivée de demandeurs d'asile n'expliquent pas à elles seules l'augmentation constante du nombre des étrangers à Dreux. C'est parce qu'on y trouve des logements à très bon marché, désertés par les Français en raison de leur délabrement que les étrangers viennent toujours. On l'a vu aux Chamards où après les Turcs, une communauté pakistanaise s'est implantée : ni à Paris, ni dans la banlieue ces ouvriers du Sentier ne parvenaient à se loger ; ils ont appris qu'à Dreux ils trouveraient des appartements libres et bon marché et qu'en moins d'une heure de train ils pourraient rejoindre la capitale. Une filière s'est ainsi constituée : dès qu'un appartement se libérait, une famille pakistanaise en était informée et venait s'installer. Les gestionnaires de la cité, en 1984 et 1985, n'hésitaient pas à se justifier : les Pakistanais, disaient-ils, sont des locataires modèles, ils paient leurs loyers sans retard. Phénomène identique au Murger froidi, résidence privée, à l'origine totalement occupée par des Français et progressivement investie par des familles turques : l'agent immobilier assurait aux propriétaires qu'avec elles il n'y aurait pas de pro-

125

blème, et que s'il devait y en avoir l'expulsion serait plus facilement obtenue qu'avec des Français... Les Turcs ont porté un sérieux coup à l'image de la résidence. Le prix des appartements a chuté. Rachetés pour pas cher, ils ont été loués ... à des étrangers.

Pour une part au moins, l'augmentation de la population de nationalité étrangère à Dreux n'est donc pas due à des entrées sur le territoire national mais à des transferts de population à l'intérieur de l'hexagone. Un bref « incident » a, en janvier 1990, montré comment l'administration elle-même tentait, de façon expéditive, de se décharger sur la ville de Dreux des problèmes que pouvaient poser certains étrangers. Le préfet des Yvelines, confronté à une agitation dans un foyer de Poissy occupé par des Kurdes, chercha le moyen de se débarrasser de ces hommes en leur trouvant un logement ailleurs. Apprenant qu'il y avait une trentaine de chambres de libres dans le foyer de travailleurs de la Sonacotra de Dreux, et sans prévenir son collègue d'Eure-et-Loir, il fit transporter les Kurdes, par camions militaires, à Dreux... Bien que l'opération eut été menée discrètement, l'information circula plus vite que les camions. A peine débarqués, les Kurdes, sur ordre du préfet d'Eure-et-Loir, furent raccompagnés à la gare de Dreux et embarqués dans le premier train pour Paris...

Étrangers, immigrés, Drouais

Les étrangers sont très précisément dénombrés chaque année, au moins pour ceux qui se trouvent en situation régulière. Mais combien de Drouais qui ont la nationalité française sont d'origine étrangère ? Le dépouillement du recensement de mars 1990 permettra de le savoir puisque le dénombrement de la population comporte une question sur l'origine nationale des Français. Pour le moment, on ignore la réponse à cette question même si des chiffres sont avancés, sans fondement : « Ne soyons pas hypocrites » déclare ainsi un conseiller municipal à propos des étrangers dans la ville « il faut compter aussi les 30 % d'Africains du nord qui possèdent la nationalité française. En fait, ici, 60 % de la population est non métropolitaine »[1]. Vrai ou faux ? Le recensement tranchera. Mais voilà comment on sort d'un chapeau une nouvelle catégorie de population : les « non-métropolitains ».

Derrière les nombres s'entrecroisent et se rejoignent toutes les histoires singulières qui silencieusement tissent l'histoire nationale, celle du « creuset » français, celle de l'absorption par la nationalité des étrangers d'hier, celle aussi de la résistance à ce *melting-pot*. Le nombre d'Italiens et d'Espagnols recensés a régulièrement baissé depuis 1970. Celui des Portugais a atteint son sommet au début des années 1980 pour décliner ensuite fortement. Est-ce à dire que tous ces Italiens, Portugais et Espagnols disparus des tableaux de recensement des étrangers sont retournés dans leurs pays ? Les chiffres ne parviennent pas à rendre compte de la réalité dans sa complexité. Il y a eu, bien entendu, des retours. Mais nombreux sont les Italiens, Espagnols et Portugais devenus français par naturalisation et qui ne sont donc plus « fichés » à la Préfecture comme étrangers. Les harkis et leurs enfants ne sont plus les seuls Maghrébins à posséder une carte d'identité française : les enfants des travailleurs algériens, marocains, tunisiens ou turcs qui sont nés à Dreux deviennent français à leur tour. Les aînés, arrivés alors qu'ils étaient encore au berceau, ne peuvent bénéficier du fameux « jus soli », sauf s'ils sont enfants d'algé-

---

1. *Match*, 14 décembre 1989.

riens[1]. Mais parce qu'ils savent que leur destin est en France, beaucoup demandent leur naturalisation. Le cas est plus rare pour leurs parents qui continuent de croire à un retour possible. Même s'ils n'en finissent pas de s'attarder, pour ne pas se séparer de leurs petits-enfants dont le « pays d'origine » c'est Dreux, en France. Ils ne reste plus à ces grands-parents venus de loin qu'à faire promettre à leur famille que leur terre à eux, de l'autre côté de la Méditerranée sera celle de leur dernière demeure...

Frapper à la porte d'un appartement dont le nom du locataire indique une origine portugaise ou maghrébine, c'est se trouver aujourd'hui en présence d'une famille où cohabitent de façon complexe plusieurs nationalités : les parents ont le plus souvent conservé la nationalité du pays d'origine. Les aînés se partagent entre la nationalité des parents et celle du pays d'accueil. Les plus jeunes, quant à eux, sont français. Évoquer la question de la nationalité, c'est ouvrir un débat interne à la famille, triturer une plaie qui ne se cicatrisera qu'avec le temps. La coupure entre générations ne passe pas entre les enfants et les parents, mais entre ceux qui conservent la mémoire du pays d'origine de la famille et ceux qui ne l'ont pas, parce qu'ils sont nés en France. Les aînés, nés « au pays » et qui ont décidé de garder la nationalité de leurs parents, entretiennent un fort lien affectif avec leur terre natale et attribuent à la nationalité un lourd capital symbolique. Ainsi du président de l'association des Portugais de Dreux. A 30 ans, il n'envisage pas de devenir français. Il veut qu'on l'accepte tel qu'il est, avec les papiers qu'il a. Il sait que ses enfants seront français sans doute, Drouais

1. Aux termes de l'article 23 du Code de la nationalité : « Est français l'enfant, légitime ou naturel, né en France lorsqu'un de ses parents au moins y est lui-même né ». Les enfants de parents algériens, nés en France, sont donc français à leur naissance, si leur parents (ou simplement l'un d'entre eux) sont nés dans les département français d'Algérie.

vraisemblablement. Lui aussi se sent Drouais. Mais il ne veut pas oublier, il ne veut pas qu'on oublie qu'il est et qu'il restera Portugais.

Pour les jeunes nés à Dreux de parents étrangers, qui vont à leur majorité demander leur certificat de nationalité au tribunal d'instance puis, forts de ce document, retirer une carte d'identité à la sous-préfecture, la nationalité française n'est parfois rien d'autre qu'un « carton jaune » : dans leur langage, la carte d'identité. On est loin de l'émotion si bien décrite par Simone Signoret dans *Adieu Volodia* [1], celle de ces juifs d'Europe centrale qui, dans les années 1930, lorsqu'ils obtenaient enfin la nationalité française se passaient de main en main, pour l'admirer, le précieux papier enfin obtenu, signe de l'entrée dans la France des Lumières, de la Révolution, de la démocratie. Point d'émotion chez ces jeunes, mais de la dérision à l'égard des autorités et notamment de la police : « j'ai le carton jaune, vous ne pouvez plus me menacer d'expulsion pour les bêtises que je fais. »

Peut-on leur faire grief de réduire la nationalité à un morceau de carton ? Ils sont nés en France, en l'occurrence à Dreux. Ils sont les « produits » de l'école de la République. Kadder, dont le père algérien travaille à la Radiotechnique depuis un quart de siècle vit sur le même palier que Roberto, fils de maçon portugais et que Pascal dont les parents sont O.S. chez Nomel. Ils ont grandi ensemble, font partie de la même bande. Kadder a tardé à aller chercher sa carte d'identité. Il l'a fait quand il a compris qu'il risquait d'être reconduit à la frontière pour la moindre infraction. Or l'Algérie, il l'a découverte à l'occasion d'un voyage organisé pour des jeunes du quartier. Jusque-là il disait, lorsqu'on le traitait d'étranger, qu'il retournerait un jour dans « son pays », pour de bon. Depuis son voyage, il n'y songe plus.

1. Simone Signoret, *Adieu Volodia*, Fayard, 1985.

Là-bas aussi on l'a regardé comme un étranger puisqu'il ne comprenait pas l'arabe. « Et puis, ajoute-il en souriant, à Alger il n'y a pas de flippers »...

Pour ce qui est du choix de la nationalité, l'année 1986 semble avoir marqué un tournant qu'il conviendra de vérifier statistiquement. Les enfants nés en France de parents étrangers, qui jusque-là tardaient à demander leur carte d'identité française, ont plus volontiers accompli les démarches qu'il fallait pour mettre dans leur poche le petit « carton jaune ». A Dreux, ceux-là sont entrés dans l'adolescence en 1983, lorsque se déchaînait dans la ville une campagne électorale pendant laquelle la xénophobie a fait recette. Sur les murs ils ont lu, écrit à la bombe : « La France aux Français! », « Les Arabes dehors! », « Le Pen, Vite! ». L'arrivée à l'Assemblée nationale, en 1986, d'une majorité politique qui avait fait de la défense de « l'identité française » et de la révision du code de la nationalité un objectif a provoqué un déclic : la possession de la carte d'identité française est devenue nécessaire, indispensable même. En raison du débat franco-français, ces jeunes savent qu'ils sont moins vulnérables s'ils la possèdent et peuvent la produire à tout moment.

Quand on croise dans les rues de Dreux les habitants de la ville qui ont une « allure étrangère » comment deviner la couleur de leur passeport? Or on les croise, inévitablement. Aujourd'hui, les deux univers, celui du centre de la ville et celui des plateaux ne peuvent plus s'ignorer : les « accourus » et parmi eux les immigrés tout particulièrement, ne s'aventuraient guère dans le centre de la ville à l'époque où on les cantonnait sur les marges. Leurs enfants n'ont pas les mêmes craintes, les mêmes pudeurs ni les mêmes hésitations. Contrairement à leurs parents, ils ne s'y sentent guère

« déplacés » dans tous les sens du terme. La Grande Rue, du pied du Beffroi au carrefour de Billy, est un de leur rendez-vous favori. Ils y sont chez eux. Mais qu'ils aient dans leur poche « le carton jaune » ou qu'ils ne l'aient pas, parce qu'ils s'appellent Kadder ou Mouloud, parce qu'ils ont un « type méditerranéen », ils sont désignés par les habitants du creux de la ville comme des enfants de l'immigration, des « enfants illégitimes »[1].

Si l'on s'en tient aux seules impressions, ce qui ressort d'une visite de Dreux en 1990, c'est, à l'évidence, une « visibilité » flagrante de ce qu'on nomme l'« immigration ». Sur des critères purement physiques ou vestimentaires, les populations d'origine maghrébine et turque semblent représenter bien plus que les 28 % de résidents étrangers annoncés au 1er janvier 1990. A Dreux, entre l'Ile-de-France, la Normandie et la Beauce, on rencontre dans la rue une importante population de type méditerranéen. Elle a intégré la ville, même si la ville tout entière ne l'a pas encore intégrée.

De l'identité de Dreux à celle de la France

Où est donc passée la ville des « Drouais d'origine » ? De ceux qui étaient là, « avant » ? Encore conviendrait-il de savoir ce qu'on entend par « origine » et par « avant ». Des électeurs de Dreux ont salué le score du Front National en 1983 au cri triomphant de « Dreux aux Drouais! ». D'autres – généralement de gauche – ont répondu par le slogan « Stirbois à Neuilly! »[2]. Pour les premiers, Drouais se confond avec Français. Pour les seconds, un Drouais est

1. Abdemmalek Sayad, « Les enfants illégitimes », in *Actes de la Recherche en science sociale*, janv., mars et avril 1979.
2. Jean-Pierre Stirbois, n'était ni électeur, ni résident à Dreux. Il habitait Neuilly-sur-Seine.

d'abord un habitant de Dreux : Jean-Pierre Stirbois, l'élu du F.N., était un « accouru politique » et, à ce titre, n'avait pas « droit de cité ».

On l'a vu, c'est depuis 1954 que la population drouaise a explosé. Il serait passionnant de savoir ce que sont devenus les 16 818 habitants que comptait la ville cette année-là. Combien étaient-ils encore dans cette foule qui criait sa joie ou son angoisse devant la salle des fêtes en ce soir d'élection de 1983 ?

Au cours de cet intervalle de vingt-neuf années, des immigrés de la terre française sont venus s'établir et ont « fait souche ». Des Drouais plus anciens, et surtout leurs enfants, sont partis, pendant la même période, à la recherche d'un travail ou d'une promotion sociale dans une autre région. En raison de la structure économique de la ville, les jeunes qui font des études supérieures la quittent et n'y reviennent plus sauf pour ceux – mais c'est un petit nombre – dont le destin est tout tracé : ils reprennent le cabinet médical, l'étude d'avoué ou d'avocat de leur père. Parmi les élèves de ma classe de première, je suis la seule à être demeurée Drouaise. Encore convient-il de reconnaître que le maintien de mes relations avec la ville est particulier : si je n'avais pas décidé de traduire mon amour pour Dreux par une relation politique, sans doute n'y reviendrais-je qu'épisodiquement, pour des raisons familiales. La ville perd ainsi, chaque année, des centaines de jeunes qui partent faire leurs études à Orléans, Tours ou Rouen. Ils ne trouvent pas à Dreux, une fois leurs diplômes obtenus, les postes de cadres ou d'ingénieurs qu'ils espèrent. Tous ne sont pas « d'origine française ». Des enfants d'étrangers ou de harkis quittent aussi Dreux pour ne plus y revenir. Ce qui permet localement de se lamenter sur l'absence d'élites dans les communautés étrangères.

Il n'en reste pas moins que les « vieux Drouais » ne sont

pas tous partis. Bien des silhouettes familières se rattachent à une histoire qui s'ancre dans le souvenir de plusieurs générations. Ainsi en est-il de la vie en province où, à chaque détour de rue, on croise une connaissance, on se salue, on échange des nouvelles. Au centre, malgré des renouvellements, en dépit de la disparition de tant de petites boutiques qui n'ont pas pu ou pas su résister aux grandes surfaces, perdurent des commerces où l'on se succède de père en fils – ou en fille. Sur les côteaux, les artisans qui demeurent sont parfois les fils des artisans d'hier. Ainsi de mon frère et de sa marbrerie. Sur les plateaux, de génération en génération, des familles d'ouvriers et d'employés demeurent fidèles au quartier, parfois même à une entreprise. La petite ville d'hier vit encore, là, immergée dans la ville moyenne. Mais à quand remonte hier ? Et que signifie, pour ceux qui se disent Drouais, le fait d'être Drouais ? Une réponse s'impose : Être Drouais, c'est être reconnu comme tel, d'évidence. Or « l'évidence Drouaise » a changé.

L'histoire récente de Dreux montre comment se construit et comment fonctionne l'amnésie, comment se rejoue à chaque vague d'immigration la négation de l'histoire précédente. Ceux qui ont vécu les affres du déracinement, connu les humiliations qui accompagnent les rites de passage dans la communauté nouvelle, sont parfois les premiers à s'opposer à ceux qui veulent à leur tour devenir Drouais. Il y a certainement – puis-je dire sûrement ? – parmi les bourgeois du Dreux d'aujourd'hui des descendants de ces bagnards que voici un siècle on montrait du doigt. Dans le petit monde des notables figurent des petits-enfants d'immigrés. L'un des piliers de la Jeune Chambre Economique s'appelle Gabrielli. Prénom Alain. Son grand-père a fui le fascisme dans les années 1920. Maçon, il a, à la force du poignet et sans jamais perdre son accent, créé ce qui devait devenir, dans les années 1960, la plus importante entreprise de bâtiment de Dreux. On voit aussi des fils et déjà des petits-fils d'Espagnols ou de Portugais, cadres, entrepreneurs, commerçants, dont seuls les patronymes indiquent l'origine. Ces descendants de « ritals », de « poloks », de « portos » sont si « Drouais » qu'il n'est pas rare de trouver parmi eux des militants d'extrême droite qui se portent aux premiers rangs du combat pour la protection de la « race » locale contre l'envahisseur étranger, approuvant les propos de ce médecin local, Président du comité de soutien de la liste présentée par le Front National, qui déclarait en 1983 qu'il fallait préserver « l'équilibre biologique de la ville »[1]. Et, pour cela, renvoyer les immigrés « chez eux ».

L'un des premiers ralliés à l'union entre la droite et l'extrême droite drouaise s'appelle Toni Serio. Il a siégé, entre 1983 et 1988, au côté de Jean-Pierre Stirbois. On dit qu'il est le « dauphin » du maire en place. Il est français, bien entendu. Mais ses parents ? Et ses grands-parents ? Ah ! Pardon ! Puisqu'il est d'origine italienne, il est « de la famille », celle de l'Europe chrétienne, comme disent les émules de Jean Cau et de Pierre Chaunu. Ces vagues d'immigrés transalpins, pourchassés à coup de pierres et de batons à Aigues-Mortes en 1893[2], et pendant l'entre-deux-guerres encore dénoncés comme « inintégrables » dans la nation Française[3], ont bien fini par s'intégrer. Mais pour les arabes, ce n'est pas la même chose ! Et pourtant... Un fils de

1. L'Écho Républicain, 12 août 1983.
2. Pierre Milza, « Le racisme anti-italien en France, la tuerie d'Aigues-Mortes, 1893 », in L'Histoire, mars 1979.
3. Voir à ce propos la thèse de Ralph Schor, L'Opinion française et les étrangers, 1919-1939, Publication de la Sorbonne, 1985.

harki a été élu en mars 1989 aux élections municipales sur la liste de droite. Il est hostile à l'extension des droits politiques aux résidents étrangers. La municipalité se décharge donc sur Abdelkader Hamiche du soin d'affirmer que la citoyenneté ne peut être dissociée de la nationalité et que la nationalité est le salaire du sang versé pour la patrie. Ce fils de supplétif militaire est utilisé comme supplétif politique. Inassimilable Abdelkader Hamiche? Il donne au contraire l'image parfaite de l'assimilation des valeurs françaises... les plus conservatrices. Tout se passe comme si l'une des voies de l'intégration pour ces « nouveaux Français » consistait à tenter de dissimuler leur passé, à nier leurs origines, à refuser que ne se répète, au bénéfice des derniers venus, l'histoire qu'ils ont vécue.

Lorsqu'on parle du droit qu'ouvre le sang versé pour la patrie, on fait appel à une histoire commune, celle des Français de France mêlée à celle des sujets des colonies et des départements français d'outre-mer. Dans une France en paix, la folie meurtrière qui s'acharne épisodiquement contre des maghrébins à Roanne, à Saint-Florentin, et ailleurs... ne s'attarde pas à opérer des distinctions. Enfants de harkis, enfants d'Algériens, enfants de Marocains: les racistes ne s'arrêtent pas à ces « détails ». Or les pères ou les grand-pères de beaucoup de ces jeunes se sont battus pour la France à Verdun ou à Monte Cassino. Pour Abdelkader Hamiche, l'histoire ne semble avoir commencé qu'en 1954 pour s'achever en 1962! Elle est bien entendu beaucoup plus longue, plus complexe, plus douloureuse aussi. Le sang et les larmes d'aujourd'hui ne sont pas moins tragiques que ceux d'hier.

Dreux, à l'image de la France tout entière, est un creuset où le brassage des anciens et des nouveaux prend du temps. A chaque génération, parmi les avant-derniers « accourus », il en est qui tentent de faire chèrement payer aux nouveaux venus le prix de l'accès dans la cité. Ils ne font que retarder ce qu'on appelle pudiquement l'intégration et qui est, en vérité, l'assimilation dans la nation. Pour justifier leur attitude, ils mettent en relief une différence – la couleur de la peau, l'allure « étrangère », la consonance du patronyme, l'appartenance à une religion... – et en font une incompatibilité. Ils conduisent ainsi les derniers arrivants à se replier sur leurs communautés. Après chaque campagne électorale où la droite et l'extrême droite ont désigné les musulmans comme étrangers, les mosquées drouaises se sont remplies. Les immigrés de culture musulmane, dont beaucoup avaient cessé de pratiquer collectivement leur religion, ont pris le chemin d'un lieu de culte, pour retrouver leur dignité ou simplement un peu de chaleur humaine.

Dreux est en France. Son évolution, ses transformations sont même particulièrement françaises si on les situe dans cette histoire longue, celle des historiens qui, de façon éperdue – et d'autant plus éperdue que le monde change vite – sont chargés de dire les origines, de fonder les mythes, de reconstruire une « identité ». Ce n'est pas un hasard si les trois volumes de l'histoire de la France de Fernand Braudel portent le titre de *L'Identité de la France* [1]. Ce testament, malheureusement inachevé d'un des très grands historiens français de ce siècle, symbolise les interrogations d'une époque. Le thème de l'identité n'est-il pas aujourd'hui au centre des débats franco-français ? Et ne trouve-t-il pas un écho ailleurs en Europe où les concepts de nation et de nationalité bouleversent des équilibres qui semblaient pourtant fixés pour longtemps ? Or, l'identité collective d'une nation, on ne sait pas très bien ce que c'est, surtout depuis que la droite l'invoque pour exclure et que des intellectuels

1. *L'Identité de la France,* Arthaud-Flammarion, 1986.

136

de gauche se laissent entraîner sur son terrain en acceptant de se réunir pour débattre de « l'identité française » [1]. Il est utile de relire Claude Levi-Strauss pour lequel l'identité est « comme un foyer auquel il nous est indispensable de nous référer pour expliquer un certain nombre de choses, sans qu'il ait jamais d'existence réelle » [2]. L'identité est ainsi comme une poupée russe. Elle se forge là où l'on vit, c'est-à-dire d'abord sur son terroir. Le sentiment d'appartenance à la nation française s'emboîte dans celui que chacun se construit sur un terroir, dans le village ou dans le quartier de la ville où il a grandi. Le français, on le parle avec les accents, les particularités lexicales et syntaxiques qui sont celles du cru. Et cela, quelle que soit l'origine des parents. Quel témoin d'une réunion de « beurs », au plan national, n'a été frappé par le fait que même lorsque l'orateur n'indique sa provenance, on l'identifie immédiatement comme marseillais, belfortain ou lillois?

Comme des millions d'autres Français, c'est dans le « petit Lavisse » du Cours Moyen que j'ai appris que « les Gaulois nos ancêtres, ont été des vaillants. Les Francs nos ancêtres ont été des vaillants. Les Français nos ancêtres ont été des vaillants ». Les Gaulois et les Francs, je les rencontrais lorsque je sortais de l'école, habillant en imagination de braies et de tuniques les Drouais que je croisais sous les remparts du château. Dans les ruelles du vieux Dreux, je devinais la ville du Moyen Age, dont les habitants ressemblaient à ceux des vitraux de Saint-Pierre. Depuis toujours, dans ces rues, des Drouais avaient construit et embelli leur cité. Comment n'aurais-je pas eu la certitude que Dreux était un être en soi, qui traversait le temps en se modifiant, en chan-

1. Colloque organisé par le Club fabiusien, Espace 89, en mars 1985. Les actes de ce colloque ont été publiés sous le titre *L'Identité française*, édition Tierce, 1985.
2. Claude Levi-Strauss, *L'Identité*, Grasset, 1976. Cité par Françoise Héritié-Augé dans sa communication au colloque d'Espace 89.

geant de costume, en s'élargissant mais en demeurant, au fond, identique à lui-même ? Marcel Dessal, adjoint de Maurice Viollette, agrégé d'histoire et auteur d'une thèse sur Charles Delescluze – un Drouais, qui des Trois Glorieuses à la Commune de Paris s'est battu pour la République – m'avait mis dans les mains les ouvrages de Michelet. Chargé de ce qu'on appelle aujourd'hui la culture, il avait de la considération pour les jeunes lecteurs qu'il rencontrait à la bibliothèque municipale sur laquelle il régnait. Je lus dans Michelet, comme une révélation bouleversante, que si « l'Angleterre est un Empire, l'Allemagne est un pays, une race, la France est une personne »[1]. Je transposais cette conception organiciste de l'histoire de mon pays à ma ville et décidais que Dreux aussi, Dreux d'abord était une personne, un être collectif qui un jour était né, avait grandi et grandirait encore. Cet être avait son « identité », à laquelle le temps pouvait donner des formes et une dimension nouvelles, mais dont la personnalité était inaltérable.

Lorsque Victor Hugo vint à pied, en 1821, de Paris à Dreux pour tenter d'y apercevoir Adèle Foucher que sa famille avait éloignée du jeune homme trop entrepenant, il ne distingua à l'approche de la cité aucun signe d'une ville. Ni les tours de Saint-Pierre, ni le clocheton du beffroi ne se voient de loin. Aujourd'hui, sur la route Nationale 12, Dreux se signale par les grandes tours des Chamards qui émergent des blés de la Beauce signalant la présence d'une ville. Au siècle de Victor Hugo, les petits Drouais s'appelaient Paul ou Louise, Jules ou Marceline. En cette fin de XXᵉ siècle ils se prénomment Grégory ou Aïcha, Sandrine ou Nourredine.

Un jeune, il s'appelait Nourredine justement, a fait partie,

1. Jules Michelet, *Tableau de la France,* 1833.

lors de ma dernière campagne électorale en 1988, de mon équipe de militants. Un jour, je lui demandai : « d'où es-tu ? ». Il ne sut pas répondre. Je reformulai la question : « quelle est ta nationalité ? ». La réponse vint, cinglante : « je suis Drouais, je suis né aux Chamards ». Nourredine avait, comme moi, grandi à Dreux. Il connaissait, comme moi, *Le Vallon de Cherisy* de Victor Hugo, pour avoir, comme moi, appris à l'école communale ce poème que l'amoureux d'Adèle Foucher avait écrit dans un petit village, à l'entrée de Dreux, sur le chemin qui le menait vers celle qui était alors la femme de ses rêves. Nourredine est mort. Tué dans un accident de voiture au mois d'août 1989, alors qu'il revenait du Maroc où il avait accompagné en vacances de jeunes Drouais. Et je m'en veux encore de l'avoir interpellé sur son origine. Au ton de sa réponse, j'avais compris que mon interrogation, involontairement, instruisait un procès en illégitimité.

La « personne » qu'était Dreux voici trente ans a changé. Si vite que ses anciens habitants disent ne plus la reconnaître. Tous n'ont pas lu Michelet, mais tous partagent implicitement le sentiment d'une mutation irréversible. Et d'une intense frustration. Lorsqu'ils lisent dans les journaux, lorsqu'ils entendent à la radio ou à la télévision que Dreux constitue un « cas », ils se sentent renforcés dans leurs convictions : leur ville est la victime d'un destin singulier, et eux avec ! Rien dans les discours des responsables politiques ne leur permet de comprendre, d'assimiler le changement, de commencer à l'intégrer comme faisant partie de leur histoire collective.

La réponse du gouvernement de Michel Rocard au résultat des élections de Dreux, en décembre 1989, a été révélatrice du décalage qui existe entre la réalité et la connaissance qu'en ont les dirigeants du pays : annoncer des mesures en faveur de l'intégration des immigrés [1] c'est être en retard d'une décennie au moins sur l'évolution de notre société. A Dreux, comme ailleurs en France, les immigrés sont économiquement intégrés et culturellement exclus. Leurs enfants sont les produits de la société française, de son école et de ses échecs, de ses banlieues et de leur inhumanité. Eux sont, pour leur part culturellement intégrés mais économiquement exclus. Se pencher avec sollicitude sur « l'intégration des immigrés », c'est refuser de prendre en compte, au-delà de la nationalité ou de l'origine des populations marginalisées, la désintégration du monde ouvrier. C'est refuser de prendre en considération les douleurs du déracinement et celles de l'enracinement dans un monde différent, que des familles venues d'un autre continent ont consentis. C'est ignorer enfin le désarroi, le désespoir et parfois la colère des Français de même condition sociale et économique qui vivent dans les mêmes grands ensembles, dans les mêmes cités pavillonnaires et qui, eux, savent bien que leurs voisins maghrébins ou turcs ont déjà « intégré » leur destin à celui de la France. La « question immigrée » tend à masquer la question sociale et, plus encore, celle des mutations profondes de la société française. L'incantation humaniste n'est en aucune manière une réponse à une demande sociale. Et les discours antiracistes, aussi nécessaires et sympathiques soient-ils, ne constituent pas une politique.

Le gouvernement ne sait pas comment aborder le problème. Convient-il de le traiter à travers le « droit

1. Alors que le gouvernement de Michel Rocard avait, depuis 1988, entretenu un silence prudent sur les questions touchant à l'immigration, le Premier ministre a convoqué, entre les deux tours des élections législatives partielles de Dreux et de Marseille, en décembre 1989, un Conseil interministériel sur l'immigration et fait, le 6 décembre, une communication en Conseil des ministres sur l'intégration des « immigrés légalement installés ».

commun », en considérant que les difficultés auxquelles sont confrontées les population d'origine étrangère se résument à un ensemble de questions sociales ? Ou faut-il recourir à des « politiques spécifiques », qui pourraient aller jusqu'à instaurer des quotas dans l'espoir de forcer l'intégration de populations qui se voient marginalisées, discriminées, exclues, en raison de leur origine nationale ou ethnique ? Entre l'affirmation d'une France qui incarnerait l'universalisme et la proclamation de l'enrichissement qu'apportent les différences, on ne sait plus à quelle doctrine se vouer. L'émergence, depuis quelques années, dans le discours et dans les textes officiels des expressions « communautés étrangères » et « communautés d'origine étrangère » n'a pas, curieusement, suscité de débat national alors même que ce terme de « communauté » met en cause un principe constitutionnel : la France est « une et indivisible ». Ce principe a permis, par consentement tacite, d'assurer la cohésion nationale face aux particularismes régionaux, à la diversité religieuse, aux antagonismes de classe.

Que des représentants du gouvernement − et singulièrement ceux d'un gouvernement de gauche − évoquent l'existence, au sein de la nation, de « communautés » aurait dû surprendre. De quoi et de qui parle-t-on ? Les immigrés et leurs enfants constitueraient-ils une « communauté » ? Pense-t-on, en prononçant ce mot, à la fraction de cette immigration avec laquelle la France entretient un rapport particulier, celle qui est originaire de l'ancien empire colonial et des ex-départements français d'Algérie ? Y ajouterait-on, par extension, les Français des départements et des territoires d'outre-mer ? Ces questions sont graves. A vouloir « ethniciser », par commodité, des questions sociales et des problèmes de société, les hommes politiques ont pris le risque de créer des lobbies. Ceux-ci font de ces « commu-

141

nuatés », souvent plus mythiques que réelles, le fond de commerce de quelques individus qui s'autoproclament leaders de ces groupes insaisissables. Ce faisant, ils nourrissent le discours différencialiste, porteur de l'idéologie xénophobe dont l'extrême droite tire profit. La France n'a jamais été une. Mais en proclamant qu'elle l'était, elle a été indivisible. Il serait utile de prendre la mesure du risque que représente la reconnaissance de « communautés » ethnico-nationales pour la cohésion de la nation au moment même où l'intégration européenne est conduite à marche forcée.

L'histoire se chargera vraisemblablement de dénoncer la myopie des gouvernants. Elle retiendra peut-être aussi que les plus grands penseurs de leur époque n'ont pas toujours perçu, à leur juste mesure, les conséquences des mouvements de population entre le sud et le nord de la planète. Fernand Braudel encore, alors qu'il définit l'identité de la France comme un résidu, un amalgame, des additions, des mélanges, parle des étrangers, en disant « eux » alors que des Français il dit « nous »[1]. Ne pas admettre, ne pas accepter à Dreux, qu'« eux » et « nous » ensemble, cela forme un tout et constitue la ville de demain, c'est se cacher la tête dans le sable. Et ce refus de regarder les choses en face ne pose pas seulement la question du devenir d'une petite sous-préfecture des confins de la Beauce, de l'Ile-de-France et de la Normandie. Mais celui de la France tout entière.

Fernand Braudel, toujours : « Toute identité nationale implique, forcément, une certaine unité nationale, elle en est comme le reflet, la transposition, la condition[2]. » Depuis Ernest Renan, nombreux sont en France ceux qui admettent que la nation c'est « le désir clairement exprimé de conti-

1. Voir sur ce point l'analyse de Gérard Moiriel, *op. cit.*, p. 505.
2. *Op. cit.*, t. 1, p. 11.

nuer la vie commune »[1]. La « vie commune », elle, se déroule, inexorablement, durement aussi, dans les villes et les villages de France. Elle a toujours été faite « d'additions » et de « mélanges » qui n'ont pas nui à l'unité pourvu que le désir et la volonté soient là, rassemblés autour de valeurs partagées.

A la recherche d'un dénominateur commun

Or plus on s'attarde à Dreux, plus il devient difficile de déceler dans cet ensemble urbain hétérogène l'existence d'une « identité collective ». L'unité territoriale qui donne son nom à la ville s'efface au profit d'une diversité et d'un éparpillement déroutants. On ne parvient pas davantage à discerner dans la mosaïque de mémoires et d'histoires qui cohabitent en son sein autre chose que des états d'esprit multiples et divergents. Il n'y a pas à Dreux *une* culture dominante mais *des* cultures qui se superposent et souvent s'entrechoquent. Le fait n'est pas nouveau : l'idée d'une identité qui serait le produit d'une population homogène et stable relève du mythe. Les bouleversements démographiques et l'atomisation de la ville paraissent cependant avoir accentué les distinctions, approfondi les différences. Comment alors définir Dreux ?

On serait tenté de proposer une première définition conforme à ce qu'indiquent les chiffres : Dreux serait d'abord une ville ouvrière. Cette définition a son fondement : Dreux est majoritairement une ville d'ouvriers et d'ouvriers non qualifiés. Cette approche pourtant laisse insatisfait, au moins au regard des analyses anciennes. Car si

1. Ernest Renan, *Qu'est-ce qu'une Nation ?* Conférence faite à la Sorbonne le 11 mars 1882.

143

Dreux est une ville d'ouvriers, ce qu'on appelle la classe ouvrière y est éclaté, morcelé, sans conscience commune. Français et étrangers, étrangers et immigrés devenus français, locataires et accédants à la propriété, salariés assurés du lendemain et titulaires d'un contrat de travail précaire, chômeurs et travailleurs... Derrière le statut socio-économique que les statistiques livrent au sociologue avide de catégories, il y a cent nuances qui séparent et qui parfois opposent.

La ville est un espace de communication ? A Dreux on ne communique pas ou on communique mal sinon, de façon chronique, à travers des rumeurs, le plus souvent porteuses de terreurs et d'angoisses. Moins de 500 personnes constituent le noyau politique, associatif, syndical, cultuel et culturel de la ville. Un noyau à l'intérieur duquel on circule mais qui n'est que faiblement irrigué par des apports extérieurs. Et qui ne diffuse pas vers l'ensemble de la ville cette micro-culture locale qui n'est en vérité que la leur, celle du « creux ». Aux inaugurations, vernissages, conférences... on se retrouve entre soi, toujours les mêmes. Parallèlement, le syndicalisme ouvrier est faible. Les associations de locataires sont à peu près inexistantes. Les associations de parents d'élèves portées à bout de bras par une poignée de militants. Les clubs sportifs et les restaurants du cœur, deux secteurs de la vie sociale qui touchent une population importante, chacun à sa manière et malgré les efforts des bénévoles, davantage des prestataires de services que des espaces démocratiques où l'on partagerait les mêmes préoccupations et les mêmes objectifs.

Est-ce donc dans l'expression politique que se forge le sentiment d'appartenance à la ville ? Après tout, le seul moment où, en dehors des épreuves nationales, se mesure « l'état d'esprit » d'une cité c'est à l'occasion du choix de ses représentants. Revisiter Dreux sous l'angle politique à la lumière de ses mutations, conduit à poser une question : le Front National, sur les ruines d'un monde qui s'effronde, profitant des erreurs ou des errances des démocrates, offrirait-il aux Drouais le dénominateur commun qui fonde l'illusion de retrouver une identité mythique ?

III

Une irrésistible ascension

Lorsqu'on évoque l'histoire de la ville de Dreux depuis le début du siècle jusqu'à 1965, c'est pour dire, le plus souvent, qu'elle fut une cité radicale et un exemple de stabilité politique. En effet, de 1908 à 1958 Dreux a élu le même maire, Maurice Viollette. Mais celui-ci, contrairement aux affirmations rapides de quelques historiens, n'a jamais appartenu au parti radical. Trop indépendant pour s'accommoder de la discipline socialiste, trop socialiste pour se reconnaître dans le radicalisme il fut, à Paris, socialiste indépendant au début du siècle puis membre du Parti Républicain Socialiste – davantage amicale de parlementaires que parti de militants – avant d'adhérer, après la Libération, à l'U.D.S.R. de François Mitterrand. En Eure-et-Loir, où ces petites formations n'existaient qu'à travers lui, il était républicain, tout simplement. A Dreux, les électeurs s'accommodaient de cette indépendance. A chaque élection ils apportaient une majorité à sa liste et se rassemblaient derrière ce notable qui, au fil du siècle, avait acquis une stature nationale. Ce serait cependant une erreur de conclure que Maurice Viollette mettait, dans sa circonscription, son drapeau dans la poche. En 1919, il avait préféré échouer aux élections législatives en présentant une liste résolument de gauche plutôt que de se rallier à l'Union Nationale qu'il regardait comme une forme intolérable de confusion. En 1924, il avait ardemment soutenu le cartel des gauches. En 1936, il n'avait pas dissimulé son enthousiasme pour le Front Populaire dont il allait devenir l'un des ministres d'État.

Son journal local [1] était sa tribune, son éditorial le manifeste d'une pensée vigoureuse qui s'était formée au temps du boulangisme et de l'affaire Dreyfus. Pour lui, la République avait des ennemis à droite qui rêvaient de remettre en cause les acquis de la Révolution; et des partenaires à gauche qui se transformaient en adversaires dès lors qu'ils refusaient de faire bloc contre la réaction toujours menaçante. A Dreux, avec le temps, il avait tissé un réseau de fidèles partisans qui, du puissant et combatif Cercle Laïque à l'Union Commerciale en passant par la Franc-Maçonnerie, « encadrait » la petite ville.

La droite, longtemps représentée par les démocrates-chrétiens, eux-mêmes héritiers de l'orléanisme rallié à la République, s'efforçait de jouer son rôle de contre-pouvoir. Elle était cependant réduite à celui de témoin. Il y eut bien quelques Croix de feu dans l'entre-deux-guerres, et l'émergence d'un R.P.F. actif après 1947 ne surprit personne. Mais cette droite extrême, identifiée à quelques familles du centre-ville, n'est pas parvenue, pendant longtemps, à exister électoralement. Même s'il a fait quelques coups d'éclat à l'occasion de contrôles fiscaux, le poujadisme, en 1956, a obtenu à Dreux de moins bons résultats que dans les cantons ruraux voisins. La jonction entre le noyau bourgeois de la droite, vychiste ou bonapartiste, et les commerçants et artisans en colère ne s'est pas faite.

---

1. *L'Action Républicaine*, bihebdomadaire fondé par Maurice Viollette en 1902. Ce journal, racheté par Robert Hersant en 1959, existe toujours. Voir sur ce sujet Françoise Gaspard, *Maurice Viollette, Editorialiste et Homme Politique*, Edijac, 1986.

Bref, Dreux fut, pendant deux tiers de siècle, la ville de la stabilité. Une petite ville paisible et modérée que rien ne semblait prédestiner à devenir le berceau de l'extrémisme.

L'entrée dans l'aire des turbulences

C'est en 1965 que Dreux est entrée, sans qu'alors on y prenne garde, dans l'ère de l'instabilité et des turbulences. En 1959, Maurice Viollette, à 89 ans, est une dernière fois candidat aux élections municipales. Mais il est numéro 2 de la liste. Il a décidé de passer la main, ce qui ne surprend personne. Georges Rastel, un haut fonctionnaire, ancien préfet du département, qu'il avait introni sé comme dauphin ne jugeant aucun membre de son équipe locale digne de lui succéder, devient maire. Celui-ci, six ans plus tard, est sévèrement battu par une liste de droite, menée par le M.R.P.

La ville a-t-elle basculé politiquement sous l'effet de l'arrivée d'une population nouvelle? L'accentuation du caractère ouvrier de l'agglomération pouvait laisser penser que la gauche, socialiste et communiste, sortirait renforcée de ces mutations. C'est d'ailleurs ce qui est apparu au premier tour de ces élections municipales de mars 1965. Le total des voix obtenues par les deux listes de gauche, radicale d'un côté, d'union de la gauche (avant la lettre) de l'autre, a été largement majoritaire: 62 % des suffrages exprimés. Mais l'hésitation de Georges Rastel sur l'alliance qu'il entendait contracter pour le second tour a concouru à provoquer une surprise de taille. La liste radicale avait, après bien des tergiversations, fusionné avec celle des socialistes et des communistes. Ces derniers, agacés par le comportement de Rastel et forts de leurs bons résultats, ont donné, de bouche à oreille, la consigne de voter pour la liste de rassemblement de la gauche... en rayant le nom de Rastel! Bien des électeurs, déroutés par ces déchirements et ces manœuvres, par ailleurs partagés sur la personnalité de leur maire « accouru » et « décalé » sociologiquement par rapport à la ville, ont choisi la liste de droite, qui ne s'attendait pas à ce succès... Pour les notables de gauche qui « tenaient » la ville depuis le début du siècle et n'imaginaient pas que Dreux puisse basculer, il s'agissait d'une rude sanction. Les électeurs « républicains », sur un fond de rivalités personnelles et de querelles d'appareils – qui resurgiront en d'autres occasions – s'étant sentis floués par leurs représentants avaient en quelque sorte repris leur liberté.

Mais peut-être conviendrait-il de rechercher plus loin en amont les causes de cette rupture. Que signifie, en effet, depuis la naissance de la Cinquième République, ce « camp républicain » que la gauche aime revendiquer comme étant le sien ? L'arrivée du général de Gaulle au pouvoir a brouillé les pistes, à Dreux comme ailleurs. En mai 1958, Maurice Viollette, homme de la Troisième République, qui n'avait cessé dans ses éditoriaux de voir derrière de Gaulle l'ombre du général Boulanger, dénonce le « coup d'État ». Remontant l'histoire, il évoque alors le 2 décembre 1851, dont la référence a bercé sa jeunesse républicaine : « Malheur! Malheur! Notre pauvre pays se meurt. Celui qui avait le droit de se flatter de l'avoir sauvé, veut aujourd'hui l'assassiner. L'Histoire d'un crime recommence. « Singulier rapprochement : à chaque page de la belle œuvre de Victor Hugo, ce sont " les généraux d'Afrique " qui sont mis en accusation. Et ce sont aujourd'hui les généraux d'Afrique qui renouvellent l'histoire d'il y a un siècle. Le général Salan s'appelait alors Saint-Arnaud. Le coup d'État est d'ailleurs comme alors clérical et militaire. En 1851, l'évêque Sibour fait célébrer une messe d'action de grâces en l'honneur du 2 décembre. Et ce dimanche, à Colombey se célébrait pour de Gaulle une grand-messe pontificale, le même jour où le crime d'Ajaccio se commettait » [1]. Pourtant, en septembre, Viollette se rallie au gaullisme. Et c'est encore en homme de la Troisième République qu'il s'exprime : il s'est trompé, concède-t-il, de Gaulle n'est pas un factieux. La preuve : il a choisi le 4 septembre – date anniversaire de la République troisième du nom – pour présenter – place de la République! – la nouvelle constitution. La constitution n'est pas parfaite, elle le choque même par son caractère césarien, mais les symboles qui président à sa naissance sont une garantie. De Gaulle sera donc Galliffet, le général Galliffet, ministre de Waldeck-Rousseau, le républicain qui a mis l'armée au pas de la République. Maurice Viollette n'en doute plus, de Gaulle fera de même. C'est pourquoi il invite à voter Oui au référendum. Dreux approuve la constitution de la Cinquième République, à 81 % des suffrages exprimés, soit un peu plus que la moyenne nationale.

L'élection de Jean Cauchon en 1965 se produit ainsi dans un contexte encore marqué par l'effacement des anciens clivages : s'il y a de vieilles rivalités qui jouent encore, le passage du radicalisme drouais – et plus généralement beauceron – dans le giron gaulliste a brouillé les cartes. Comment s'y retrouver? D'autant qu'à faire les comptes, de référendum en élection législative, les opposants lucides au gaullisme sont bien obligés de constater que si la gauche s'identifie à l'opposition au Général et à ses candidats, elle n'a pas perdu seulement ses électeurs radicaux. Des communistes et des socialistes sont eux aussi devenus des électeurs gaullistes. L'élection municipale de 1965 traduit un paroxysme de confusion. Au second tour, la « gauche » est « unie ». Mais, profondémment divisée, elle joue contre elle-même. En

1. *L'Action Républicaine*, 28 mai 1958.

sous-main, le Parti Communiste organise l'échec de l'union pour liquider un maire radical rallié au gaullisme. Ouvertement, un jeune inconnu vient à la traditionnelle réunion publique de la veille du scrutin, porter avec talent l'estocade au maire sortant, favorisant ainsi la liste de droite. Il s'appelle Georges Lemoine. Douze ans plus tard il se fera élire comme maire – socialiste – de Chartres. Au lendemain des élections, la gauche locale n'est pas seulement vaincue électoralement; elle est anéantie. Seul le Parti Communiste semble échapper au désastre. Les Viollettistes, eux, se replient dans la commémoration annuelle du grand homme. Les socialistes, éclatés entre S.F.I.O. et P.S.A., ne représentent qu'une petite troupe sans leader.

En 1977, après douze ans de mandat, Jean Cauchon, qui avait été triomphalement réélu en 1971 avec 68 % des voix face à une liste d'union de la gauche conduite par un radical de gauche, est à son tour sévèrement défait. La liste de gauche, cette fois conduite par le Parti Socialiste qui n'a cessé de progresser dans tous les scrutins depuis le Congrès d'Épinay de 1971, doublant pour la première fois dans l'histoire locale les radicaux et les communistes, l'emporte. C'est ainsi que j'ai été élue maire. Et c'est à Dreux que François Mitterrand, entouré des caciques du socialisme, fête, au printemps de 1977, la nouvelle génération de socialistes qui arrivent aux affaires municipales. Dreux fait alors figure d'exemple de la renaissance d'une gauche rassemblée qui marche avec espoir vers la conquête de la majorité parlementaire.

Six ans plus tard, Dreux est de nouveau sous tous les regards. Pour les observateurs de la vie politique et pour ceux qui font profession de la commenter, la naissance du Front National comme force partisane s'est, en effet, produite à Dreux. Très précisément, le 4 septembre 1983. C'est ce dimanche-là, dans une élection municipale partielle très médiatisée, qu'une liste conduite par le secrétaire général du Front National remporte près de 17 % des suffrages.

On se souvient qu'au mois de mars précédent, dans sept des vingt arrondissements parisiens, à Nice, à Montpellier, à Clermont-Ferrand, étaient apparues des listes du Front National qui avaient troublé le jeu, contribué à durcir le ton des campagnes, obtenu des résultats non négligeables : Jean-Marie Le Pen lui même avait été élu conseiller municipal dans le XXe arrondissement de Paris. En outre, sous des étiquettes qui ne se réclament pas de ce petit parti, des listes avaient, ici et là, face aux quatre grandes formations politiques, puisé dans le fonds de commerce de l'extrême droite et défendu les idées xénophobes et sécuritaires, à Marseille par exemple. Dans d'autres villes, le Front National s'était fait plus discret mais, avec la complicité du R.P.R., s'était fondu dans des listes de droite, en s'avançant masqué. C'était le cas à Dreux, mais pas seulement : à Grasse, à Antibes ou au Cannet, trois communes des Alpes-Maritimes; dans l'Isère également, en Indre-et-Loire et dans la région parisienne des accords avaient été conclus. Personne ne s'était alors ému ni de ces succès, modestes et isolés, ni de ces alliances, ponctuelles et souterraines. C'est Dreux, en septembre 1983, qui fait éclater la nouvelle au point de laisser croire à l'apparition stupéfiante d'une génération spontanée. A y regarder de près, on verra qu'il n'en est rien et que Marie-France Stirbois est fondée six ans plus tard à dire qu'elle « n'est pas un député tombé du ciel [1] ». L'événement est le résultat d'une patiente et fructueuse implantation qui a échappé aux commentateurs. La chronique électorale des douze années qui séparent la première candidature de Jean-Pierre Stirbois à Dreux de l'élection de Marie-France Stir-

1. *Paris-Match*, 14 décembre 1989.

155

bois n'intéresse pas seulement l'histoire locale. Elle s'inscrit dans un processus national dont Dreux, simplement, a été le laboratoire.

Mars 1978 – *Le Front National entre en scène*

Les électeurs de la deuxième circonscription d'Eure-et-Loir apprennent dans l'indifférence le premier dimanche de février 1978 qu'un inconnu, Jean-Pierre Stirbois, sera candidat aux élections législatives de mars. Sur le moment, cet événement n'en est pas un. Des candidats marginaux se présentent à tous les scrutins. Celui-là porte l'étiquette du Front National, un petit parti extrémiste que dirige Jean-Marie Le Pen, éphémère député du poujadisme et baroudeur de l'Algérie française. Le Front National est né en 1972 de la fédération de divers groupuscules, débris d'une droite antigaulliste et nostalgique du pétainisme.

L'annonce de cette candidature n'emprunte pas les chemins habituels qui, en province, passent par la convocation de la presse ou par un communiqué adressé aux journaux locaux. Cette fois, les journalistes sont informés en même temps que les habitants de Dreux qui trouvent sur le pare-brise de leurs voitures un tract de huit pages. Celui-ci présente le candidat et son programme.

Jean-Pierre Stirbois, 33 ans, marié et père de deux enfants, responsable d'une entreprise de huit salariés, y est décrit comme étant un « simple électeur de la région drouaise ».

Rares sont ceux qui savent que ce « simple électeur de la région drouaise » passe parfois ses week-ends dans un petit village du bord de l'Eure, aux portes de Dreux, Écluzelles, où ses beaux-parents ont une propriété. Personne ne s'intéresse à sa biographie. La connaîtrait-on, personne ne pourrait évoquer les multiples interpellations dont ce candidat a été l'objet depuis 1967 et les ennuis qu'il a eus avec la justice : l'amnistie de 1974 les a effacés. L'ancien militant des Comités Tixier-Vignancour, du Mouvement Jeune Révolution, du Mouvement solidariste français (qui se réclamait de l'O.A.S.-Metro de Pierre Sergent), du Groupe Action Jeunesse, est un activiste. Il vient d'entrer au Front National avec quelques-uns de ses amis solidaristes. Pour porter désormais son action sur le terrain de la politique électorale et non plus seulement dans la rue. Pour privilégier, désormais, le bulletin de vote au lieu de la matraque.

Ni Martial Taugourdeau, médecin rural et candidat du R.P.R., ni Maurice Legendre, agriculteur et député sortant du P.S., l'un comme l'autre solidement implantés dans le Drouais, ne portent attention à ce nouveau venu. Ils ignorent que son épouse est candidate, elle aussi, aux élections législatives. Comme suppléante de Michel Collinot, en Seine-Saint-Denis, dans la circonscription de Georges Marchais. A Dreux, Martial Taugourdeau et Maurice Legendre savent que le second tour se jouera entre eux. Depuis 1958, la circonscription est détenue soit par un gaulliste, soit par un socialiste.

C'est la première campagne législative que Martial Taugourdeau, conseiller général et maire d'une commune rurale, mène en première ligne. Il entend rendre à la droite le siège du notable R.P.R., Edmond Thorailler, membre du R.P.F. dès la première heure, élu député U.N.R. en 1958, renouvelé en 1962, battu en 1967 par un socialiste, vainqueur de nouveau en 1968, battu une seconde fois en 1973. Le Dr Taugourdeau doit assurer un héritage difficile : Edmond Thorailler, l'aimable notaire, conseiller général et maire d'un chef-lieu de canton de l'arrondissement, cette figure historique du gaullisme local est depuis quelques mois sous les verrous. Pour escroquerie.

La campagne de Jean-Pierre Stirbois, par son caractère sommaire, contribue à accréditer l'idée que le candidat se présente uniquement pour témoigner de l'existence de son parti. Il tient une conférence de presse à Chartres, aux côtés de Michel Collinot, son « attaché de presse », lui-même candidat ailleurs, on l'a vu. Les seules questions évoquées sont celles de l'immigration et de l'insécurité. Jean-Pierre Stirbois annonce que son objectif est d'obtenir que, dans la circonscription de Dreux, ni la droite, ni la gauche ne soient, à l'issue du premier tour, majoritaires. Dans les jours qui suivent, il ne fait pas la traditionnelle tournée des communes. Son « attaché de presse » ne semble pas accablé de travail : un court communiqué paraît le 15 février. Celui-ci est essentiellement consacré à la menace que représente l'immigration à Dreux et au slogan du candidat : « Les Français d'abord. »

Dans les premiers jours de mars, un journal local publie un reportage sur Jean-Pierre Stirbois fait par un journaliste de *La République du Centre* qui a suivi les candidats sur le marché du dimanche matin, à Dreux. Ce marché se tient dans un quartier de la ville qu'on appelle le « plateau sud », une zone de forte concentration de population d'origine maghrébine. Coloré et convivial, il est le lieu d'expression politique préféré des militants de gauche et d'extrême gauche. Sous une photo montrant des individus ayant manifestement le goût de l'uniforme, bottés et cagoulés, qui distribuent des tracts et parmi lesquels figure une seule femme (on reconnaît aujourd'hui Marie-France Stirbois), la légende indique : « Bottes de combat, treillis et passe-montagnes, ce sont les G'Men de M. Stirbois... qui semblent décidés à mener une campagne musclée. » Sur la campagne électorale, le journaliste écrit : « Tout se passe pour le mieux dans le meilleur des mondes. Mais il y a eu cependant un moment d'émotion l'autre dimanche, lorsque des militants d'extrême gauche ont vu débarquer des militants d'extrême droite soutenant la candidature de M. Stirbois (F.N.). Bottes de parachutistes, treillis militaires ont produit l'effet de banderilles sur les premiers et cela d'autant plus que les seconds venaient d'entamer une campagne d'affichage sauvage au texte lapidaire et suffisamment explicite : " Gauchiste, ne te casse pas la tête, on s'en charge " [1] ». Cet article donne l'occasion à Jean-Pierre Stirbois de répondre par la dérision. « Mes partisans avaient des bottes et des cagoules ? Il faisait froid... Nos militants devaient-ils venir pieds nus [2] ? »

De toute évidence, le candidat du Front National n'est pas pris au sérieux. Les journalistes locaux mettent sur le même pied l'extrême gauche et l'extrême droite, et présentent cette dernière comme l'adversaire « naturel » des gauchistes. Pour les organisations politiques installées, Jean-Pierre Stirbois n'est là que pour représenter des idées du passé, des idées dépassées. Lui et elles ne jouent pas dans la même cour. Lorsqu'un petit groupe de militants du Front National saisit à Chartres, en commando, le stock d'un journal régional qui a refusé de passer un communiqué de leur candidat, chacun se désole mais persiste à considérer cet incident comme négligeable.

Au soir du premier tour, Jean-Pierre Stirbois obtient 2 % des voix sur l'ensemble de la circonscription et 2 % dans la ville de Dreux. Qui sont-ils ces 252 Drouais qui ont mis dans l'urne un bulletin au nom de Stirbois ? Des nostalgiques de Vichy ? Il doit bien en rester quelques-uns au centre-ville où la majorité de la petite-bourgeoisie commerçante ne s'est pas

1. *La République du Centre*, 3 mars 1978.
2. *Ibid.*, 9 mars 1978.

illustrée dans la Résistance avant le 6 juin 1944. D'anciens combattants d'Indochine et d'Algérie qui n'ont pas digéré la décolonisation? L'O.A.S. a eu ici un petit noyau actif. Mais tout cela a été et reste marginal.

L'issue du second tour s'annonce incertaine. Les deux candidates d'extrême gauche et la candidate communiste (qui a obtenu un peu plus de 15 % des suffrages exprimés) se désisteront pour le candidat du P.S. Le Dr Taugourdeau, bien que talonné par le candidat du C.D.S., est arrivé en tête de la droite. D'une certaine manière, Jean-Pierre Stirbois a gagné son pari. Ses 2 %, si modestes soient-ils, gênent la droite qui, arithmétiquement, a besoin d'eux pour être majoritaire. Où vont aller les 2,8 % des voix obtenues par un autre candidat marginal, qui s'est présenté sous l'étiquette du Parti Social Démocrate? Curieuse candidature que celle de ce colonel qui a pris pour cible privilégiée – et musclée – le candidat du C.D.S. Était-elle spontanée? L'émergence dans les années suivantes, d'une candidature à une élection cantonale dont on a pu prouver qu'elle était en réalité télécommandée par le Front National dans le but de prendre des voix à la droite modérée, peut en tout cas autoriser la question. Il n'est pas impossible que, dès son entrée sur la scène électorale drouaise, Jean-Pierre Stirbois ait usé, avec la complicité de candidats de circonstance, de ce type de stratagème. S'il parvenait à mordre, fût-ce légèrement, sur les voix de la droite à ses deux extrémités, il ferait en sorte que la « droite classique » sorte minoritaire du premier tour. Celle-ci serait alors forcée de conclure une alliance avec l'extrême droite. L'habileté tacticienne dont devait faire preuve celui qui n'était encore qu'un inconnu a peut-être trouvé là le premier terrain d'entraînement d'une pratique qui dix ans plus tard déstabilisera l'ensemble de la droite confrontée, élection après élection, et dans la gestion des collectivités territoriales, à l'obsédante question de son rapport avec le parti de Jean-Marie Le Pen.

Y a-t-il eu rencontre, au lendemain du premier tour de ce scrutin législatif de 1978, entre Martial Taugourdeau et le candidat du Front National? On l'ignore. Celui-ci a-t-il tenté de « monnayer » dès cette élection auprès du candidat du R.P.R. les 1 332 voix qu'il a obtenues dans la circonscription? Il n'en existe pas de trace. S'il y a eu négociation, elle n'a en tout cas pas abouti : le Front National n'a pas appelé à voter au second tour pour le R.P.R.

Le Dr Taugourdeau cependant l'emporte avec 51,2 % des voix et rend la circonscription à la droite. Il est l'élu des campagnes. La ville de Dreux donne, quant à elle, une confortable majorité au candidat de gauche (52,5 % des suffrages exprimés).

Mars 1979 – Slogans-chocs et heurts physiques

Les élections cantonales sont, on le sait, des élections de notables. Elles ne suscitent guère de passions, sauf, parfois, dans les campagnes. En ville, quand on a un problème à régler, on va voir le maire. La plupart des électeurs ne savent pas ce qu'est au juste un conseiller général qui, pour plus de clarté, mériterait le nom de conseiller départemental. Certains croient même que les conseillers généraux sont élus par les conseillers municipaux... Candidats et supporters doivent, bien souvent, au cours de leur tournée des marchés et des mairies faire un cours d'instruction civique avant même de parler de politique.

Le canton de Dreux-sud-ouest – le seul des deux cantons drouais qui soit renouvelable en mars – se compose d'une bonne moitié de Dreux (les quartiers populaires du plateau sud) ainsi que de deux communes suburbaines (Vernouillet et Luray) et de dix communes rurales.

A droite, on ne se précipite pas pour s'opposer au sortant, Maurice Legendre, maire de Vernouillet, ancien député socialiste, conseiller général depuis 1967 et qui, en 1973, a été réélu au premier tour avec près de 60 % des suffrages exprimés. A gauche, pas de bousculade non plus. Les candidats d'extrême gauche ne sont pas amateurs de ce type d'élection réfractaire aux messages révolutionnaires. Les transports scolaires et les réseaux d'assainissement, qui font l'essentiel des débats cantonaux, se prêtent mal, en effet, à la rhétorique gauchiste.

Jean-Pierre Stirbois, lui, pose sa candidature. Et fleurissent, pour la première fois, sur les murs de Dreux, des affiches du Front National : « 1 million de chômeurs, 1 million d'immigrés de trop. Les Français d'abord ». On commence aussi à rencontrer le candidat d'extrême droite dans les quartiers populaires de Dreux. Son discours se limite, comme aux élections législatives de l'année précédente, à l'immigration et à l'insécurité. Mais désormais le thème est systématiquement décliné à l'usage d'une catégorie d'électeurs que le candidat veut séduire et qui dépasse largement en nombre la clientèle des nostalgiques de l'État français du maréchal Pétain ou des militaires et rapatriés que la fin de l'Empire colonial ont frustés. Ceux-là sont acquis. Jean-Pierre Stirbois est populiste. C'est l'électorat du Parti Communiste qu'il vise. C'est à lui qu'il s'adresse. Ainsi envoie-t-il un communiqué à la presse qui le publie le 7 mars. Le titre : « La C.G.T. trahit les ouvriers français. » Dans ce texte, il s'efforce de démontrer que la C.G.T. et le P.C., en défendant les travailleurs étrangers, à l'encontre de l'intérêt des ouvriers français. Le lendemain, les journaux locaux et régionaux publient un second communiqué de la fantomatique Fédération d'Eure-et-Loir du Front National : il dénonce l'augmentation du nombre des immigrés dans l'agglomération drouaise, réclame des forces de police pour assurer la tranquillité des bals publics, troublés le samedi soir par des bandes de voyous, immigrés bien entendu. L'attention portée à la candidature de Jean-Pierre Stirbois reste faible. Jusqu'à ce que l'annonce d'un meeting de Le Pen, en enflammant les esprits des militants d'extrême gauche, projette le nom du candidat de l'extrême droite au centre de l'actualité locale. Une salle municipale a été réservée à Dreux pour la réunion de fin de campagne du Front National. Le Pen en sera l'orateur.

Le président du Front National n'est à l'époque qu'un personnage mineur de la vie politique nationale. Pourtant, dès l'annonce de sa venue, la presse publie nombre de communiqués appelant à des contre-manifestations. Ils émanent d'organisations d'extrême gauche et d'associations dont la raison d'être est de défendre les Droits de l'Homme. Je reçois des pétitions. Des délégations se succèdent dans mon bureau de maire, m'avertissant de la détermination de leurs signataires de manifester. Je prends donc, après avoir informé le préfet du département, un arrêté interdisant cette réunion pour risque de trouble à l'ordre public. Le Front National s'adresse alors à la mairie voisine, celle de Vernouillet. Son conseil municipal refuse d'accorder une salle à l'extrême droite. En revanche, symboliquement, il réserve l'usage de sa salle des fêtes, le soir où Jean-Marie Le Pen entendait se produire, à une association antiraciste qui propose une soirée dansante.

Le 14 mars se tient dans une petite bourgade de l'agglomération de Dreux, Luray, la dernière réunion publique du candidat socialiste. A 21 heures, une trentaine de personnes, en majorité des retraités du village, s'installent dans la salle des fêtes de la commune. Les responsables de la police, informés du risque d'une « descente » de militants de l'extrême droite venus de Paris, ont fait savoir aux responsables du Parti Socialiste que, s'agissant d'une réunion publique, ils ne peuvent en interdire l'entrée à quiconque. Néanmoins les routes d'accès du village seront surveillées et la salle gardée de l'extérieur. Toute personne étrangère à la région, suspecte ou menaçante pour l'ordre public sera l'objet d'une fouille réglementaire et, bien entendu, les armes et instruments dangereux seront confisqués...

A l'heure dite, la réunion commence. Les auditeurs, sagement assis sur leurs chaises, sont tous convaincus d'avance. Les orateurs rangés derrière une longue table présidée par le maire, un communiste, officient. Mon tour de parole vient. C'est au moment où j'explique l'importance du budget du conseil général pour la vie quotidienne des citoyens, qu'un à un – la fouille réglementaire ralentit leur entrée – une vingtaine de jeunes gens aux cheveux très courts et aux imperméables très longs pénètrent dans la salle. Ils ne sont pas de la région, sauf l'un d'entre eux dont les opinions extrémistes sont connues localement. Ils gardent tous les mains dans leurs poches. S'apercevant de ce manège, les quelques militants du Parti Socialiste (dont l'actuel maire de Luray) se lèvent et vont s'asseoir derrière les nouveaux arrivants – Jean-Pierre Stirbois se trouve parmi eux – pour surveiller leurs mouvements.

Lorsque c'est au tour de la salle de prendre la parole, Jean-Pierre Stirbois se lève. Il cache, lui aussi, ses mains dans les poches d'un imperméable serré à la ceinture. Brun, petit, il porte le menton en avant et m'apostrophe avec vigueur. Invoquant la démocratie, il me somme de dire qu'à l'avenir, j'autoriserai la venue de Jean-Marie Le Pen dans la ville de Dreux. Répondant que tant que je serai maire et que la venue de Le Pen y menacera l'ordre public je m'opposerai à ce qu'il tienne à Dreux une réunion, je m'attends à une riposte... Toutes ensemble les mains sortent alors des poches des imperméables. Ce sont des œufs qui volent en direction de la tribune. Les policiers n'ont pas considéré, à juste titre, que ce type de projectile constituait un « instrument dangereux ».

Pendant ce temps-là, à Vernouillet, les militants antiracistes donnent leur bal. D'autres, qui ont considéré qu'il valait mieux parler que danser, tiennent au Cercle Laïque de Dreux, haut lieu historique de la gauche locale, une réunion de protestation contre les idées du Front National. Protestation toute symbolique, et... squelettique. Associations antiracistes et mouvements d'extrême gauche se confondent, ou presque, regroupant une poignée de militants actifs qui veulent, avec un esprit messianique, évangéliser la classe ouvrière. Leur dynamisme leur permet d'intéresser la presse locale qui publie leurs communiqués. Mais leur discours est idéologique et leur audience limitée à un cercle étroit. Ce soir-là, ils font la démonstration que l'antiracisme ne mobilise qu'eux-mêmes et qu'il ne permet même pas de rassembler dans un seul lieu des factions qui se sont opposées sur la méthode : fallait-il danser ou fallait-il débattre ? En tout, bal, débat et réunion publique confondus, combien de militants et sympathisants se sont-ils déplacés ? Deux petites centaines au plus. Les Drouais ce soir-là dormaient ou regardaient la télévision, apparemment aussi indifférents au racisme qu'à l'antiracisme.

Le Front National apporte, à l'occasion de ces élections cantonales, la preuve de son audience nouvellement acquise : au soir du premier tour, le candidat du Parti Socialiste est réélu. Mais, en six ans, la gauche a perdu 10 % des voix dans le canton, dont un peu plus de 7 % aux dépens du seul Parti Socialiste. Jean-Pierre Stirbois obtient 8,5 % des suffrages exprimés. A Dreux, 303 électeurs ont voté pour lui.

Jean-Pierre Stirbois n'a pas été inquiété par le chahut de la réunion publique des cantonales. En revanche, il sera interpellé à Paris, au mois de juin suivant. Avec un groupe de jeunes extrémistes – dont certains avaient peut-être fait le voyage de Dreux en mars – il est allé porter la contradiction à Simone Veil, dans une réunion précédant les élections européennes. Contradiction musclée et injurieuse à l'égard de celle qu'ils qualifient bruyamment « d'avorteuse », avec, à l'appui, quelques grossièretés antisémites. Cette fois-là, le secrétaire général du Front National se retrouvera, pour quelques heures, au commissariat de police du XVIIIᵉ arrondissement.

Juin 1981 – La vague rose déferle

François Mitterrand, élu le 10 mai, annonce la dissolution de l'Assemblée nationale. Au soir de la cérémonie du Panthéon s'ouvre la campagne des élections législatives.

Jean-Pierre Stirbois est candidat à Dreux. Je le suis également contre le député R.P.R. sortant. Au soir du premier tour, le total des voix de gauche (extrême gauche comprise) est de 50,5 %, celui des voix de droite de 47,3 %. Jean-Pierre Stirbois, avec 2,2 % des voix, est l'arbitre d'un second tour qui s'annonce serré. Le score du F.N. marque cependant un fort recul par rapport aux cantonales. Mais son retour à son niveau de 1978 lui permet néanmoins de peser sur le résultat de ces législatives. Ses 2,2 % sont indispensables au candidat du R.P.R. s'il veut conserver son siège.

L'avant-veille du scrutin, je rencontre mon adversaire à

l'occasion d'un face-à-face devant la presse. A l'issue du débat, je l'interroge : Jean-Pierre Stirbois est-il venu le voir ? Réponse affirmative. Le candidat du Front National lui a demandé un million de francs en échange de son désistement, ajoute-t-il. Et il précise : « Je préfère être battu plutôt que me livrer à un pareil marchandage. Cela n'a rien à voir avec l'argent. C'est une question de principe. »

Au premier tour, le P.S., seul, obtient dans la circonscription 40,63 % des voix dont 44,10 % dans la ville de Dreux. Les électeurs, ici comme ailleurs, font déferler la « vague rose ». Au second tour, je suis élue députée avec 51,4 % des suffrages exprimés.

La gauche socialiste, majoritaire à Dreux (j'y obtiens 55,70 %), dépasse son score des élections municipales de mars 1977. A peine s'attarde-t-on a commenter l'effondrement du Parti Communiste. Entre 1978 et 1981, celui-ci est passé de plus de 15 % à moins de 9 % dans la circonscription. La droite semble s'évanouir, écrasée par sa défaite. Le soir des résultats, à la salle des fêtes, seuls quelques-uns de ses militants convaincus sont restés jusqu'à l'annonce des résultats. La plupart d'entre eux, notables locaux en tête, sont vite rentrés chez eux : le ciel leur était tombé sur la tête. On avait entendu un industriel connu pour ses opinions tranchées expliquer qu'il allait quitter la France. François Mitterrand à l'Élysée, des communistes au gouvernement, une majorité de gauche au Palais-Bourbon : la révolution se profilait !

Mars 1982 – Une lettre qui fait des voix

Retour des élections cantonales : celles-ci renouvellent tous les trois ans la moitié du Conseil général. Un nouveau découpage des cantons urbains a été effectué pour tenir compte de la progression démographique de ces derniers. L'agglomération drouaise est désormais divisée en trois cantons au lieu de deux. Cette fois, deux cantons sont en jeu. L'un est, au vu des chiffres des élections antérieures, gagnable par la gauche, l'autre peut difficilement échapper à la droite. Jean-Pierre et Marie-France Stirbois sont l'un et l'autre en piste.

Le climat politique, moins d'un an après la victoire de François Mitterrand et l'élection à l'Assemblée nationale d'une majorité absolue de socialistes, est mauvais pour la gauche. L' « état de grâce » a fait long feu. C'est précisément la question de l'immigration et l'évocation par le ministre des Affaires extérieures du droit de vote des étrangers aux élections municipales, lors d'une visite à Alger, qui réveille l'opposition. A Dreux, la situation se tend. Depuis l'été de 1981, on voit circuler une feuille ronéotée qu'on se passe de main en main, que certains photocopient pour la donner aux amis, aux copains. C'est une lettre prétendument adressée par un Algérien qui vit en France à son ami Mustapha, demeuré au pays : « Mon cher Mustapha, Avec la grâce d'Allah tout-puissant, nous sommes devenus les maîtres et les seigneurs de Paris. Je me demande pourquoi tu hésites à nous rejoindre... » et l'ami de Mustapha de décliner tous les droits dont pourront profiter en France Mustapha, ses enfants et... ses femmes, avant de conclure : « Alors tu vois que ta présence ici est indispensable et qui sait si tu ne seras pas élu au futur conseil des émigrés ? Viens vite, nous t'attendons très nombreux, car Mitterrand nous promet pour bientôt le droit de vote. Nous avons fichu les Français hors d'Algérie, pourquoi n'en ferions-nous pas autant ici ? »

Le patron du bistrot à la mode du centre-ville, ex-membre du P.S.U., me montre cette « lettre » que je découvre ainsi. Il me la présente comme une bonne blague, drôle et au fond assez juste... et me dit l'avoir diffusée auprès de ses relations, nombreuses. Nous sommes à la fin de juillet de 1981. Dreux sert de banc d'essai, dès cette campagne électorale, à une opération de diffusion de racisme anti-arabe. Le procédé est énorme. Mais efficace. Dix-huit mois plus tard, à la veille des municipales de 1983, cette lettre va inonder l'hexagone et connaître un succès tel que Patrick Jarreau lui consacrera un article sous le titre « Cher Mustapha... » à la Une du journal *Le Monde.* On mesure alors l'étendue de sa diffusion, qui ne se fait plus « sous le manteau ». Des tracts anonymes circulent : « l'immigré a raison », « l'immigré a toujours raison. » Ou bien : « Cher Mustapha... », lettre imaginaire d'un immigré à son cousin, resté au pays, qu'il invite à venir, lui aussi, « plumer les Français ». De tels tracts ne sont pas nouveaux, mais voilà « cher Mustapha » affiché au tableau d'une petite entreprise de la région parisienne. « Ce n'est qu'un pamphlet, répond le P.-D.G. à un membre du personnel, immigré, venu lui demander le retrait de cette étrange note de service [1]. »

Comment et par qui a été diffusée cette première « lettre à Mustapha » ? On l'ignore. Dreux paraît bien avoir été le terrain d'expérimentation, presque idéal compte tenu de la composition de sa population, de l'inoculation du virus xénophobe. A l'époque, l'extrême droite n'a pas de local dans la ville, pas de militants connus en dehors de deux ou trois colleurs d'affiches. Le Front National dispose simplement d'une boîte aux lettres. C'est celle d'un chef d'entreprise, en retrait de la vie publique, plutôt discret. On le comprend. Ancien membre des Chantiers de Jeunesse en 1942 il a appartenu à la Milice de Tonneins comme « chef de centaine » chargé de la formation et de l'éducation mili-

1. *Le Monde,* 14 mars 1983.

taire des jeunes recrues, de janvier à août 1943. Au lendemain de la Libération, il s'est caché, vraisemblablement en Espagne. Les résistants du Lot-et-Garonne qui ont survécu aux expéditions punitives et aux interrogatoires musclés des miliciens s'en souviennent encore. C'est par contumace que cet individu a été condamné à la peine de mort et à la confiscation de tous ses biens pour trahison, port d'armes contre la France et intelligence avec l'ennemi. Quand il réapparaît en 1952, après l'amnistie, il est alors arrêté et condamné, en 1953, à 5 ans de travaux forcés pour s'être soustrait à la justice en 1945[1]. Sa peine sera de courte durée puisque son exécution sera suspendue quelques mois plus tard.

Tel paraît être, à ce moment-là, l'unique contact opérationnel de Jean-Pierre Stirbois à Dreux. Lui qui réside à Neuilly et vient quelquefois à Écluzelles rencontre sans doute des sympathisants chez l'ancien milicien. Mais qui? Dans une petite ville, on sait qui connaît qui, qui fréquente qui. En l'occurrence, les relations de l'ex-milicien – dont on ignore, à l'époque, le passé – sont quelques notables parmi lesquels un médecin ancien correspondant local de l'O.A.S.

Au soir du scrutin cantonal du 18 mars 1982, ces marginaux du système, dont plusieurs ont fait l'expérience de la clandestinité et des prisons de la République (la Quatrième ou la Cinquième), doivent éprouver un joyeux sentiment de revanche. Au terme d'une campagne qui n'a pas eu recours à des méthodes spectaculaires ou violentes, le Front National s'impose à un niveau jamais atteint par l'extrême droite, hormis la période du poujadisme. Il obtient 12,6 % des suffrages exprimés dans le canton où Jean-Pierre Stirbois était candidat et 9,5 % dans l'autre canton, celui où son épouse faisait ses débuts.

Au cours de la campagne, les époux Stirbois se sont par-

---

1. *Le Parisien Libéré*, 5 mars 1953.

tagé la tâche : lui a fait appel au vote ouvrier en dénonçant de nouveau la collusion du P.C. et de l'immigration contre les intérêts des ouvriers français ; elle a signé des communiqués destinés à attirer le vote des commerçants et des professions libérales sur le thème de l'iniquité de la taxe professionnelle. Elle s'est en outre adressée aux « familles » pour les mettre en garde contre « la marxisation de l'enseignement » dans les écoles publiques. Enfin, les deux cantons ont été inondés de tracts dénonçant la droite et la gauche comme responsables de l'invasion de l'hexagone par des « hordes d'immigrés ».

Pour le second tour, Michel Lethuiller, rallié au R.P.R. après avoir été membre du C.N.I.P., peut se passer des voix obtenues par le Front National au premier tour. Mais Jean-René Fontanille, candidat R.P.R. dans l'autre canton, en a besoin. Y eut-il négociation entre le R.P.R. et le F.N. au soir du premier tour ? La ville bruit de rumeurs colportant force détails sur les conditions de la transaction. Sur le moment, une seule chose apparaît comme certaine : le Front National qui, dans les précédents scrutins, n'avait donné aucune consigne de vote à ses électeurs, cette fois se prononce. Un communiqué paraît dans la presse. Jean-Pierre et Marie-France Stirbois remercient leurs électeurs et les invitent à reporter leurs suffrages sur les « candidats d'union de l'opposition ». C'est la première fois qu'apparaît la notion d' « union » englobant le Front National. Les candidats d'extrême droite se désistent donc pour MM. Fontanille et Lethuillier. Le communiqué est, de surcroît distribué sous forme de tract dans les boîtes aux lettres. Jean-Pierre Stirbois s'inscrit désormais dans l'après-cantonale : « Il importe », écrit-il dès le 22 mars 1982, « d'engager la bataille des municipales dans le cadre de l'union de toutes les forces de l'opposition. »

MM. Fontanille et Lethuillier sont l'un et l'autre élus conseillers généraux à l'issue du second tour. Dans un livre paru en 1988, Jean-Pierre Stirbois évoquera la négociation d'entre les deux tours avec le R.P.R. sans donner d'autres détails que l'acceptation des voix du Front National par Jean-René Fontanille, responsable départemental du R.P.R. En échange, le Front National a obtenu de figurer sur une liste d'union de l'opposition aux prochaines municipales. Le Front National a pu, grâce à ces cantonales, négocier son entrée par mariage dans la « cour des grands ».

Mars 1983 – *Droite et extrême droite réunies*

La droite, un an plus tôt, n'avait pas de leader à Dreux sinon Jean Cauchon, l'ancien maire C.D.S. Depuis les élections cantonales de mars 1982, elle dispose d'un jeune conseiller général, avocat, ancien suppléant de Jacques Toubon à Paris, Jean-René Fontanille. Qui va prendre la tête de la liste contre la municipalité de gauche sortante?

Dès le mois d'octobre 1982, le Front National instaure un rapport de forces au sein de la droite locale. Jean-Pierre Stirbois tient une conférence de presse dont les termes permettent de mesurer l'état de tension qui caractérise les négociations en cours. Pour forcer la droite classique à compter avec lui, Jean-Pierre Stirbois se déclare prêt à présenter sa propre liste : « Nous sommes les seuls à pouvoir prendre des voix à la gauche sur les thèmes qui ont un écho dans les milieux populaires. » Et il donne les vingt-six premiers noms figurant sur la liste qu'il entend conduire si on ne lui accorde pas la place qu'il revendique sur une liste d'union. Face à une droite qui minimise la force du Front National, il laisse entendre qu'il pourra, d'ici le mois de mars 1983,

172

trouver sans difficulté les treize noms complémentaires. Il ajoute cependant que son objectif n'est pas de faire bande à part mais bien de s'intégrer à une « union de l'opposition » pour vaincre la municipalité de gauche sortante. La presse traduit ainsi ses propos : « Pour M. Stirbois, le moyen le plus simple serait une liste d'union qui pourrait être conduite par une personnalité dont il donne les grands traits; et l'on reconnaît sans peine Jean Hieaux[1]. »

Jean Hieaux a été le premier adjoint de Jean Cauchon à la mairie de Dreux entre 1965 et 1977. Propriétaire d'une banque locale privée, dont il a hérité, il appartient à cette bourgeoisie faite de quelques familles qui se comptent sur les doigts des deux mains, habitent dans deux ou trois rues du centre de Dreux, sont liées entre elles par des mariages, une bourgeoisie qui comme celle de Chartres et d'Évreux est, selon le géographe Michel Michel, « davantage intéressée aux offices, aux fonctions d'autorité et de prestige qu'aux fonctions économiques[2] ». Très jeune, Jean Hieaux s'est engagé localement dans la lutte contre Maurice Viollette. En 1947 il a été élu benjamin du conseil municipal sur une liste du R.P.F. Mais depuis 1977, jamais on ne l'a vu aux manifestations officielles ou patriotiques, comme celles du 8 Mai ou du 11 Novembre, qui rassemblent devant les monuments aux morts de la ville toutes les notabilités : pour lui la gauche est marquée du sceau de l'illégitimité. Pendant six ans, il s'est comporté comme une sorte d' « émigré de l'intérieur », ne se recommandant d'aucune formation politique, et aucune formation politique n'avançant son nom.

Dans les semaines qui suivent la conférence de presse du Front National, les centristes, qui n'ont pas été partie prenante dans la négociation de 1982 menée par le seul R.P.R.,

---

1. *La République du Centre*, 2 octobre 1982.
2. Michel Michel, *Développement des villes moyennes, Chartres, Dreux, Évreux*, Publications de la Sorbonne, 1984, p. 248.

ne cachent pas leur agacement. La presse laisse entendre qu'ils envisagent de présenter leur propre liste. La rupture entre le C.D.S. et le R.P.R. est publique fin novembre 1982. Dans un long article, Yves Cauchon, le fils du sénateur, lève un coin du voile sur les discussions qui agitent la droite, depuis plusieurs mois : « ... des négociations ont eu lieu et il n'est un secret pour personne qu'elles se dérouleraient de façon satisfaisante si un problème spécifique à notre ville ne venait en compromettre l'aboutissement. Une force politique d'extrême droite, s'appuyant sur des résultats obtenus de façon miraculeuse lors des dernières élections cantonales, revendique – avec l'appui tacite d'une des composantes de l'opposition – de figurer sur la liste démocratique qui doit conduire le changement à Dreux... Notre cité ne peut devenir une des villes de France qui verra siéger au sein de l'équipe composant la majorité du conseil municipal, et sous la même étiquette, des personnes estimables en elles-mêmes, mais qui apportent leur soutien et leur caution à des thèses qui sont à l'opposé des valeurs auxquelles la quasi-totalité des Drouais se reconnaissent. » Les positions du fils du sénateur U.D.F. semblent sans ambiguïté : « ... les thèses défendues par le Front National sont absolument incompatibles avec celles que mes amis et moi-même soutenons et notre désir de réaliser l'union ne peut se faire dans l'équivoque et le camouflage [1]. » Yves Cauchon ferme-t-il pour autant la porte à une alliance de gestion avec le F.N. qui pourrait aller jusqu'à une fusion des listes de droite et d'extrême droite au second tour ? Pour l'instant, il propose que le F.N. se compte au premier tour... en attendant, en parfait centriste, la suite.

Jean Hieaux s'est affirmé partisan d'une liste allant de l'U.D.F. au F.N. compris. Fin décembre, il tire les conclu-

1. *La République du Centre*, 23 novembre 1982.

sions de l'échec des négociations entre le R.P.R. et l'U.D.F. en révélant à la presse qu'il a invité les représentants locaux de l'U.D.F., du R.P.R. et du Front National à son domicile. « N'y sont venus, dit-il, que MM. Fontanille et Stirbois. Les ponts ont donc été coupés. Je ne suis plus candidat et ce n'est même plus la peine de m'en parler... Dans cette affaire, deux erreurs ont été commises. Celle d'abord d'avoir sous-estimé mes convictions et mes positions. Il y a eu ensuite celle de M. Jean Cauchon, qui n'a pas voulu écouter ses anciens conseillers municipaux qui avaient pourtant l'oreille de l'opinion drouaise, opinion qui souhaite dans sa majorité l'union complète de l'opposition [1]. »

C'est donc Jean-René Fontanille qui conduit la liste R.P.R./F.N. sur laquelle Jean-Pierre Stirbois figure en seconde position, et que rallient quelques représentants du P.R. L'U.D.F. présente sa propre liste avec à sa tête un médecin peu connu du public. Yves Cauchon y figure, mais en seconde position seulement.

Contre la liste de la municipalité sortante, trois autres listes se présentent aux suffrages des électeurs : deux listes d'extrême gauche et une liste « apolitique », Dreux-Alternative. Cette dernière, sur laquelle se retrouvent des militants associatifs, a comme unique mot d'ordre de vouloir « délivrer (la) ville du stérile débat partisan ». Elle irrite les formations politiques de droite comme de gauche qui ignorent qu'au même moment, dans d'autres villes, surgissent des listes du même type fondées sur le rejet des appareils politiques traditionnels et de leurs discours.

Curieuse campagne que celle des municipales de 1983. Des rumeurs, sans cesse renouvelées, courent les rues : 800 Turcs vont arriver sous peu ; le maire fait construire une usine pour eux ; le maire, encore, aurait fait libérer l'assas-

---

1. *La République du Centre*, 28 décembre 1982.

sin du vigile de Monoprix et lui offrirait un emploi à la mairie; le maire toujours autoriserait la construction d'une mosquée aux Chamards; le maire enfin cacherait un enfant qu'elle aurait eu avec un Marocain, etc. Aux rumeurs les plus folles, mais comparables à celles qui courent au même moment à Roubaix, Grenoble ou Chambéry, s'ajoute une méthode de propagande jusque-là inusitée. Une journaliste du *Nouvel Observateur* raconte : « Ce sont de singuliers camelots électoraux qui, ces jours-ci, ont débarqué sur Dreux, au quartier des Prud'hommes, le plus pauvre de la ville. Ces zélés propagandistes se font passer pour des représentants de commerce et frappent aux portes des cités de transit. Dans leur besace, n'importe quoi, mais cher, très cher. Magnétoscopes, chaînes hi-fi, bijoux. "Bonjour, madame, êtes-vous intéressée? Non? Dommage! Votre voisin (Mohammed, ou Miloud, ou Youssef) en a deux. C'est vrai. Ici, grâce à Mademoiselle Gaspard, les Arabes gagnent bien plus d'argent que les Français. " [1] »

Le Jean-Pierre Stirbois de 1983 n'apparaît plus comme l'activiste, le chef de commando de 1979. La journaliste du *Nouvel Observateur* poursuit : « Vendredi 11 février. 20 h 30. Grande réunion publique R.P.R.-Front National. Où sont passés les treillis, les blousons de cuir et les muscles, tout leur attirail d'antan? A peine cinq crânes rasés au fond de la salle et c'est tout. "Immigrés d'au-delà de la Méditerranée, retournez dans vos gourbis! " lançait Stirbois devant le congrès du Front National (en 1982). Ce soir, le candidat Stirbois, en souliers vernis et pantalon de banquier, déclare plus sobrement : " Les Drouais défendront leur identité historique et culturelle... il faut inverser le flux de l'immigration. " »

A gauche, dans le cercle des élus et des militants, on a été

---

1. *Le Nouvel Observateur*, 4 mars 1983.

curieusement serein et sûr de soi jusqu'à la veille de l'ouverture de la campagne officielle : la presse nationale ne signale-t-elle pas que Dreux est une ville innovante et bien gérée ? Pourtant, un sondage de la SOFRES réalisé en décembre 1982 montre les Drouais satisfaits de leur maire mais paradoxalement mécontents de leur équipe municipale sortante... Ils placent en tête de leurs préoccupations l'immigration et l'insécurité. Le message de l'extrême droite est passé, et bien passé... Alertée par ce sondage dont je suis seule à connaître les résultats alarmants pour la gauche, j'ai exhorté les élus à occuper le terrain. En trois mois, soir après soir, j'ai personnellement organisé des rencontres avec la complicité de sympathisants, chez les habitants. J'ai tenu un carnet de bord de ces visites à domicile. Nombre de Drouais rencontrés : plus de deux mille. Thèmes évoqués spontanément : l'état misérable des cages d'escalier, les dégradations de véhicules sur les parkings, les nuisances provoquées par les animaux domestiques... Mais pas un mot sur l'immigration. De cela personne ne voulait parler. Comme si les opinions étaient déjà faites et que l'on craignait de les voir contestées ou blâmées. Pour toucher aux questions de cohabitation avec les familles étrangères, il fallait que je provoque mon auditoire : « Il paraît que je protège les délinquants surtout quand ils sont étrangers, on vous a dit ça ? » Réponses gênées. Comme si on avait honte, mais qu'on n'en pensait pas moins. Quand je franchisssais le seuil de la porte, je n'étais pas, loin de là, certaine d'avoir convaincu.

Au terme d'une campagne rude où les thèses du Front National marquent les esprits, les deux listes d'extrême gauche obtiennent près de 5 %, la liste « apolitique » 5,3 %, la liste d'union de la gauche dépasse à peine les 40 %, la liste U.D.F. atteint 18,8 % loin derrière la liste R.P.R./F.N. qui recueille près de 31 %.

Le soir du premier tour, à la salle des fêtes de Dreux, pendant la totalisation des voix, l'annonce de la défaite à Grenoble de Hubert Dubedout provoque un choc. Les milieux de gauche, inégalement mobilisés jusque-là, prennent conscience du danger : la victoire d'une liste où l'extrême droite serait présente paraît désormais possible. Cette perspective suscite un rassemblement immédiat autour de l'équipe municipale sortante. Et ce rassemblement s'amplifie lorsqu'est annoncée la fusion des deux listes de droite. La tête de la liste U.D.F. se rallie en effet à celle du R.P.R./F.N. L'U.D.F. vole en éclats. Plusieurs de ses militants rejoignent la liste Fontanille sur laquelle Jean-Pierre Stirbois recule à la cinquième place. Celui-ci se sacrifie sur l'autel d'une d'union qu'il a habilement su préparer. Il a gagné son pari. Il est devenu « incontournable ». Toute la droite l'accepte. Seuls Yves Cauchon et quelques-uns de ses proches du C.D.S. préfèrent disparaître plutôt que de se marier avec l'extrême droite. La liste apolitique, Dreux-Alternative, refuse de prendre position. Elle se retire sans donner à ses électeurs de consigne de vote.

Pendant une semaine, la ville tremble de fièvre. On ne l'a jamais vue aussi divisée, aussi combative pour un scrutin. Les tracts et les contrefaçons de tracts inondent les rues, qui la nuit sont animées de façon bruyante par des ballets de voitures pleines de colleurs d'affiches dont le plus grand nombre est venu d'autres villes, de surveillants de colleurs d'affiches, de journalistes qui observent cette frénésie guerrière. On se bat pour « tenir » un château d'eau couvert d'affiches, pour garder à son camp un pont ou un tunnel. Des coups de feu sont tirés.

Le 20 mars au soir, 2 000 personnes envahissent la salle des fêtes de Dreux et la place qui la borde. La tension est extrême. Les immigrés et leurs enfants – enjeu muet du scrutin – sont « descendus » nombreux des plateaux où ils habitent. Ils occupent le pourtour de la place n'osant se mêler à la population « indigène », mais ils sont avides de savoir qui a gagné. Le décompte des voix est long. Le score demeure incertain jusqu'au dernier moment. Au bout du compte la liste de gauche est majoritaire. De 8 voix.

« Le fascisme n'est pas passé. » Ce slogan, longuement clamé le dimanche soir à l'intérieur de la salle des fêtes, fait quelques dégâts à l'extérieur : une voiture, occupée par des sympathisants de la liste Fontanille, est endommagée; dans la nuit, les vitrines de la permanence du R.P.R. sont brisées, de même que celles du café dont le propriétaire est un militant connu de ce parti.

L'Écho Républicain du 14 mars qualifie la victoire de la gauche d'« étonnante remontée ». Remontée que le quotidien explique par une participation supérieure de six points au second tour par rapport au premier, ainsi que par le « coup de pouce d'Yves Cauchon » et de ses amis du C.D.S.

Dès le lendemain du scrutin, le « troisième tour » est engagé. Le sprint final de la liste de gauche lui a permis de l'emporter. Mais avec une marge si étroite que la droite introduit un recours devant le Tribunal administratif. L'annulation du scrutin paraît probable.

Les hésitations de la gauche socialiste quant au langage à tenir au plan national sur la présence des immigrés en France me semblent lourdes de conséquences pour l'avenir. A Dreux comme dans bien des villes, l'un des arguments de la droite et de l'extrême droite contre les listes de gauche a été que le droit de vote des résidents étrangers figure dans les 110 propositions du candidat François Mitterrand. J'ai personnellement refusé de me situer en position défensive : dans tous mes meetings, j'ai soutenu la propostion du Président de la République. Pendant ce temps, le gouvernement

179

a préféré le silence sur les problèmes touchant à l'immigration [1]. Et au sein de l'état-major du Parti Socialiste, des voix s'élèvent pour remettre en question l'accès des étrangers aux droits civiques. La gauche a peur. Elle sent les réticences de l'électorat populaire qu'à Dreux j'ai touché du doigt au cours de ma campagne : dans les entreprises, dans les quartiers, une sourde concurrence s'est installée. Le chômage ou son spectre font de l'étranger, surtout de celui qui est récemment arrivé, un rival potentiel. « 2 millions de chômeurs, deux millions d'immigrés en trop » : le slogan du Front National apparu en 1982, et qui s'est actualisé, est imprimé dans les têtes. Se sentir bloqué dans son H.L.M. exacerbe l'irritation contre les « accourus » maghrébins ou turcs. Les socialistes se dérobent devant un débat national qui les plonge dans le malaise et les divise. Il est plus facile, quand on est au pouvoir, de parler d'économie que de dialoguer avec les Français de l'avenir de leur société.

Dans ce climat, je suis persuadée, à tort ou à raison, que je ne serai pas la meilleure tête de liste pour un troisième tour. C'est cette analyse qui me décide à passer la main, tout de suite. Pour préparer la prochaine échéance avec les meilleures chances de succès, il faut, selon moi, mettre immédiatement en place celle ou celui qui mènera le combat à venir. Le sondage réalisé quelques mois plus tôt me conduit à penser qu'il faut choisir une personnalité neuve, non impliquée dans la gestion précédente. Un chef d'entreprise, à l'apparence solide, rassurante et chaleureuse accepte de jouer ce rôle difficile. J'annonce donc que je ne solliciterai pas le fauteuil de maire. Je propose à la majorité municipale que Marcel Piquet m'y succède. C'est chose faite le 20 mars.

Le 2 juin 1983, le commissaire du gouvernement du Tri-

1. Voir Françoise Gaspard et Claude Servan-Schreiber, *La Fin des immigrés*, Le Seuil, 1984.

bunal administratif d'Orléans déclare que les juges ont relevé un écart de 7 voix entre le nombre de votants « émargés » et le nombre de bulletins décomptés. Une jurisprudence constante, explique-t-il, considère que les votes non émargés doivent être décomptés du score du vainqueur. « Si cette jurisprudence devait être infléchie, ajoute-t-il, ce serait la meilleure occasion que l'on puisse trouver puisque ces sept personnes ont effectivement voté, mais ce serait ébranler l'un des piliers de la régularité du scrutin [1]. » La liste de gauche aurait une voix d'avance si l'un des votes par procuration n'était regardé comme nul. Les deux listes sont donc à égalité. Le Commissaire du Gouvernement se prononce pour l'annulation du scrutin. Il est suivi par le tribunal.

Le nouveau maire, Marcel Piquet, ne fait pas appel de ce jugement devant le Conseil d'État. Son avis – que je partage – est que ce serait prolonger inutilement une situation empoisonnée. Pour se retrouver au même point quelques mois plus tard, un retournement de jurisprudence semblant peu probable. Les élections partielles sont fixées au 4 et au 11 septembre.

Septembre 1983 – Une cinquième force politique est née

Depuis l'avant mars 1983, « l'affaire de Dreux » a embarrassé la droite et notamment le R.P.R. au niveau national. A plusieurs reprises, Jacques Chirac a été interrogé par des journalistes sur cette alliance contractée par son parti avec le Front National dans cette petite ville d'Eure-et-Loir. Dès le 30 janvier 1983, au Club de la Presse d'Europe 1, il a botté en touche : « Je n'ai pour ma part aucune espèce de rapport

1. Cité par *L'Action Républicaine*, 14 juin 1983.

avec un mouvement qui se réfère aux principes que je combats. » A la veille du premier tour de scrutin, sur Radio-Communauté, l'une des radios de la communauté juive de Paris, le maire de la capitale, de nouveau interpellé sur la situation drouaise, avait répliqué avec agacement : « J'ai personnellement demandé à ce que cette liste ne reçoive pas l'investiture du R.P.R. Je le répète, je l'ai moi-même exigé. A mes yeux ces gens-là ont une tare congénitale : ils sont racistes. » Ce qui n'a pas empêché Jean-René Fontanille de se réclamer du R.P.R. et d'affirmer au *Nouvel Observateur* qui l'interrogeait sur ses relations avec la rue de Lille : « Voyons, avant de prendre une telle décision, il est évident que nous avions le feu vert du national [1]. »

L'annulation du scrutin de mars remet la situation à plat. Le R.P.R. demande à ses troupes de ne pas contracter d'alliance avec Jean-Pierre Stirbois. Qu'importe à celui-ci. Il présentera sa propre liste et ne doute pas qu'il faudra compter avec lui pour le second tour. Il annonce qu'il espère un minimum de 15 % des suffrages. Ce chiffre fait sourire.

Exit Jean-René Fontanille qui incarne trop visiblement « l'erreur » de mars, la collusion avec le Front National et la rupture avec le C.D.S. Jean Hieaux qui, quelques mois plus tôt, avait posé comme condition à sa participation l'union de toute la droite avec l'extrême droite change d'avis. Il prend la tête d'une liste qui rassemble le R.P.R. et l'U.D.F., mais pas le Front National. Il y aura cette fois trois listes seulement au premier tour : celle de la gauche conduite par Marcel Piquet, celle de la droite menée par Jean Hieaux, celle de l'extrême droite dirigée par Jean-Pierre Stirbois.

La campagne, parce qu'elle est plus courte et qu'elle se déroule pendant la période des congés d'été, est moins virulente que ne l'a été celle de mars. Le 4 septembre les résul-

1. *Le Nouvel Observateur*, 4 mars 1983.

tats tombent : liste Hieaux 42,7 %, liste Piquet 40,6 %, liste Stirbois 16,7 %. Les résultats provoquent, selon les camps, consternation ou explosion triomphante. « Le fascisme ne passera pas ! » se heurte à des « Stirbois à la mairie ! ». On se bat dans la rue. Du côté de la droite, on se préoccupe moins de ces échauffourées que de la préparation des manœuvres en prévision du second tour.

La liste de gauche ne dispose d'aucune réserve sinon chez les abstentionnistes. Au premier tour de mars, les listes de droite et d'extrême droite ont totalisé 49 %. Elles rassemblent cette fois 60 % des suffrages exprimés. Certes, la participation est de 4 points inférieure à ce qu'elle était au premier tour de mars, et de 9 points inférieure au second tour. Mais la gauche n'a rien à négocier avec personne. Et on ne remonte pas 10 points de retard.

En mars, l'alliance du R.P.R. et du F.N. à Dreux n'avait guère retenu l'attention des médias, occupés à suivre les élections municipales dans l'ensemble de la France. Le 4 septembre, l'élection partielle de Dreux constitue l'événement de la rentrée politique. Depuis quelques jours, Dreux déborde de journalistes. Le score du Front National, du jamais vu en France avec près de 17 % des votants, fait, le 5 septembre au matin, la une des quotidiens nationaux. L'annonce dès ce jour-là de l'alliance entre la liste R.P.R./ U.D.F. et celle du F.N. pour le second tour embarrasse les responsables politiques. Le soir, Simone Veil, invitée de L'Heure de Vérité sur Antenne 2, est, d'entrée de jeu, interrogée : si elle était électrice à Dreux, que ferait-elle le dimanche suivant ? « Je m'abstiendrais », répond-elle après une seconde d'hésitation. Pendant une semaine, la droite va se diviser sur la position à adopter : des hommes comme Jacques Chaban-Delmas ou Olivier Stirn – ce dernier rompt alors ses attaches avec la droite et rejoindra le P.S. trois ans plus tard – condamnent vigoureusement toute compromission avec l'extrême droite; d'autres comme Jean Lecanuet, Bernard Pons, François Léotard, Dominique Baudis, Alain Carrignon ou Jean-Pierre Soisson signent un appel à voter pour la liste de Jean Hieaux qui paraît sur une page entière dans les quotidiens régionaux...

A gauche, des militants, notamment parmi les plus jeunes, sont décidés à se battre. Et à témoigner devant la France du mal qui, après avoir atteint Dreux, peut demain se répandre. Ils tentent de susciter un sursaut d'indignation dans l'opinion nationale, dénonçant l'alliance qui est en train de se conclure, convaincus que désormais la question dépasse largement le cadre des frontières communales et que les retrouvailles de la droite et de l'extrême droite ne constituent pas un incident marginal. Simone Signoret, dès le lundi matin, prend son téléphone. Un comité se constitue auquel Yves Montand refuse, avec éclat, de s'associer parce que figurent des communistes sur la liste de Marcel Piquet. Simone de Beauvoir, Jean Cassou, Claude Mauriac, Eugène Descamp, Alexandre Minkowski, Bernard Kouchner... soutiennent en revanche la liste de gauche. Une manifestation est prévue à Dreux l'avant-veille du scrutin. Elle rassemble plus de 2 000 personnes, parmi lesquelles de nombreux ministres, des responsables nationaux d'associations antiracistes, des écrivains et des artistes, pour entendre un appel de Claude Mauriac, lu par Daniel Gélin, au cœur même de la ville.

Le 11 septembre, dans une atmosphère d'extrême tension, la liste de droite et d'extrême droite l'emporte avec 55,3 % des suffrages exprimés. En direct, au journal télévisé, on voit, sur la place de la salle des fêtes, les C.R.S. charger une foule d'où fusent des projectiles aux cris de « Le fascisme ne passera pas ». Il est pourtant passé. Jean-Pierre Stirbois

184

devient adjoint au maire de Dreux. Parmi les onze autres membres de sa liste du premier tour qui ont participé à la liste de fusion du second, trois – dont lui-même – reçoivent des écharpes d'adjoint. C'est la première fois que le Front National, à visage découvert, obtient des élus.

Juin 1984 – La France confirme Dreux

Aucune passion locale pour les élections européennes. Seuls les colleurs d'affiches des partis se mobilisent. Peu de monde dans les meetings de sous-préfecture. L'annonce de celui du Front National provoque néanmoins, à Dreux, une levée de boucliers sous forme de communiqués de presse émanant de l'extrême gauche et de diverses associations culturelles. Des contre-manifestations sont annoncées. La fièvre monte avec d'autant plus de rapidité que si, depuis les élections municipales, on n'a guère vu Jean-Pierre Stirbois dans la ville, l'action municipale porte le sceau depuis septembre 1983 des élus extrémistes : « chasse aux sorcières » dans les services, suspension des abonnements de la bibliothèque municipale au *Canard enchaîné* et à la revue *Europe*, interdiction d'expositions considérées comme « orientées » (à gauche); programmation au théâtre municipal d'une pièce d'Henry de Montherlant à laquelle l'adjointe aux Affaires culturelles, militante du Front National, invite sur papier à en-tête de la mairie ses amis politiques à venir faire foule (sans succès d'ailleurs); point de fixation contre l'École de Musique – dirigée par une militante de gauche – comme source de gaspillage; et même suspension de l'allocation logement pour les instituteurs qui vivent en concubinage, après constats d'huissiers faits, à l'aube, au domicile de l'un ou l'autre des cohabitants...

185

Le meeting du Front National est, à Dreux, l'occasion de nouveaux affrontements. Un journaliste local est sévèrement molesté par le service d'ordre du F.N. La police est mise en cause pour la discrétion de ses interventions. L'extrême droite nie toute responsabilité. Le lendemain, dans la ville, on renvoie cependant les partisans de l'un et l'autre camp dos à dos. C'est moins l'extrême droite qui serait fauteuse de troubles que la politique en général. Jean-Pierre Stirbois est d'ailleurs devenu un honorable adjoint au maire. Insoupçonnable.

Les élections européennes de 1984 révèlent que le Front National « pèse » au niveau national 11 % des suffrages. Autant que le Parti Communiste. A Dreux, la liste de Jean-Marie Le Pen obtient 21,8 % des suffrages exprimés. La progression se poursuit : 4 % de plus qu'en septembre 1983.

Mars 1985 – *Le Front National progresse encore*

Les élections cantonales reviennent. A Dreux, un seul canton est renouvelable, celui qui comprend la commune de Vernouillet et dont le sortant est le socialiste Maurice Legendre (réélu, on l'a vu, en 1982). Pour la première fois, Maurice Legendre est mis en ballottage. Le Front National obtient sur le canton 17,5 % des suffrages exprimés. A Dreux, il remporte, dans les bureaux concernés, 18 % des voix.

Mars 1986 – *Madame remplace monsieur...*

En 1986 le climat politique est bien différent de celui qui a vu arriver au Palais-Bourbon la « chambre rose ». La rigueur a porté des fruits amers. L'électorat de la gauche est maussade et la droite est mobilisée. Les élections se déroulent au scrutin proportionnel départemental qu'*in extremis* la majorité sortante a établi. En dépit des scores atteints dans l'agglomération drouaise, le Front National ne peut raisonnablement espérer emporter un siège dans le département. Jean-Pierre Stirbois quitte donc provisoirement l'Eure-et-Loir. Tête de la liste de son parti dans les Hauts-de-Seine, il y sera élu député. Il laisse le soin à son épouse de conduire la liste départementale du Front National (ainsi que celle des élections régionales qui se déroulent le même jour). En Eure-et-Loir, la liste du F.N. n'obtient pas d'élu à l'Assemblée nationale. A Dreux, elle recueille 16,1 %, c'est-à-dire moins que Jean-Marie Le Pen n'en a obtenu en 1984 aux élections européennes. La campagne a été calme. Marie-France Stirbois s'est présentée comme une femme dynamique, chef d'entreprise, mère de famille. Elle a sillonné les marchés du département, tracts à la main, sourire aux lèvres.

Pendant la campagne qui a précédé le scrutin, ce n'est pas le Front National et sa candidate qui ont retenu l'attention de la presse départementale. On s'est habitué dans le département à la présence, dans la compétition politique, du parti de Jean-Maire Le Pen. Il est devenu un parti semblable aux autres. En revanche, la querelle au sein du R.P.R. a fait les unes des journaux locaux et régionaux pendant plusieurs semaines. La direction nationale du R.P.R., à la surprise générale, n'a pas donné l'investiture au Dr Taugourdeau, ancien député de la circonscription qui a pourtant été élu en 1985 président du Conseil général, mettant fin à la domination presque séculaire des radicaux au sein de l'Assemblée départementale. Elle entend, au terme d'un accord national passé avec le C.N.I.P., imposer Michel Junot, secrétaire général du C.N.I.P., à la tête de la liste du R.P.R.

187

Depuis quelques mois, le R.P.R. a « parachuté » comme responsable départemental du mouvement, en remplacement de Jean-René Fontanille qui s'est fatigué de l'action politique, un jeune homme bien connu des spécialistes de l'extrême droite : Alain Robert. Ce dernier, fondateur du mouvement Occident, fondateur du G.U.D., fondateur du mouvement Ordre Nouveau, membre du premier bureau du Front National en 1972, fondateur encore du Parti des Forces Nouvelles, ex-secrétaire national du C.N.I.P., candidat du C.N.I.P. avec l'investiture du R.P.R. aux élections cantonales en Seine-Saint-Denis en mars 1985, vient de rejoindre le parti de Jacques Chirac. Alain Robert, dont un rapport de police en 1968 dit qu'il « s'apparente plus à l'idole d'une bande de jeunes délinquants qu'à un dirigeant politique [1] » a gravité dans tous les mouvements d'extrême droite. Il est en outre une vieille relation de Jean-Pierre Stirbois. Ils sont entrés ensemble au Front National en 1972. Alain Robert, jugé trop excité par le président du Front National, a été exclu dès 1973 du parti qu'il avait contribué à fonder. Jean-Pierre Stirbois, lui, y est resté.

Au siège parisien du R.P.R., assigne-t-on comme mission à Alain Robert de récupérer les voix du Front National dans le département d'Eure-et-Loir en présentant au suffrage des électeurs des candidats capables de séduire les électeurs d'extrême droite ? Considère-t-on, rue de Lille, que Martial Taugourdeau (qui avait, en 1981, appelé à voter pour Michel Debré aux élections présidentielles) n'a pas le profil pour conquérir les « brebis égarées », ces électeurs qui se laissent séduire par le discours populiste du parti de Jean-Marie Le Pen ? Michel Junot qui, en 1984, a déclaré que le C.N.I.P. « n'a doctrinalement pas d'ennemi à droite (et) ne

1. Cité *in* Joseph Algazy, *L'Extrême-Droite en France, 1965-1984*, Éditions L'Harmattan, 1989, p. 61.

peut comprendre l'exclusive lancée par certains dirigeants d'autres partis de l'opposition contre un mouvement comme le Front National » se voit en tout cas chargé de venir chasser sur l'un des terrains privilégiés... du Front National justement.

C'est une stratégie nouvelle – une expérience? – que tente le R.P.R. Mais il a sous-estimé la réaction des notables de la droite départementale, rebelle aux ingérences de la capitale. L'U.D.F. et le R.P.R. d'Eure-et-Loir font front commun contre l'intrus. Martial Taugourdeau, blessé et convaincu de l'erreur politique faite par sa formation, s'allie à l'U.D.F. Il ne s'est pas trompé. La liste Junot obtient, au plan départemental, 8,3 % des suffrages seulement. Celle conduite par l'U.D.F. Maurice Dousset – sur laquelle Martial Taugourdeau figure en seconde position –, avec 27 % des suffrages, obtient deux élus. La division de la droite permet au Parti Socialiste d'enlever les deux autres sièges.

Juin 1988 – Découpages et divisions

François Mitterrand, réélu président de la République, dissout, le 14 mai 1988, l'Assemblée nationale sortie des urnes en mars 1986. Les élections législatives se déroulent au scrutin d'arrondissement rétabli par Jacques Chirac, dans le cadre du découpage opéré par Charles Pasqua en novembre 1986. On compte désormais quatre circonscriptions en Eure-et-Loir.

En 1981, la deuxième circonscription d'Eure-et-Loir, celle de Dreux, avait suscité des tentatives de parachutage socialiste. En 1988, le ciel reste désespérément vide. Les personnalités nationales du P.S. en mal de points de chute analysent les résultats circonscription par circonscription. Pour un socialiste, celle de Dreux est difficile. A l'intérieur de ses nouvelles limites, François Mitterrand a bien été majoritaire le 8 mai (52 %) mais la gauche, tous partis confondus, n'y a obtenu que 39 % en 1986. La caractéristique d'un parachutiste politique est de ne pas prendre de risques.

Députée sortante, il me revient donc de représenter le Parti Socialiste. Je me retrouve ainsi seule à me représenter, le soir de l'assemblée des militants socialistes de la circonscription, devant cette instance qui désigne, à bulletins secrets, le candidat du P.S.

La droite a été divisée en 1986. C'est au tour de la gauche d'offrir dans le département le spectacle de ses déchirements. Une lutte d'influence ancienne oppose radicaux et socialistes, ces derniers ayant progressivement supplanté les premiers. Or en politique, plus on est proche, plus on est concurrent puisqu'on chasse sur les mêmes terres. Ces anciennes querelles semblaient définitivement réglées. Socialistes et radicaux de gauche avaient fait liste commune aux législatives et aux régionales de 1986, ce qui avait permis au M.R.G. de faire entrer deux des siens au Conseil régional. Mais un jeune radical, devenu Conseiller régional à la faveur de cette alliance, entend que la circonscription de Nogent-le-Rotrou, la troisième d'Eure-et-Loir, lui soit « réservée ».

Les prétentions du M.R.G. ont, pour d'obscures raisons, des partisans au sein de la fédération socialiste d'Eure-et-Loir. Faute d'avoir eu gain de cause, ces mécontents sèment le trouble en encourageant des tentatives successives de parachutage d'« éminences » socialistes, pour éliminer le candidat du Parti Socialiste désigné localement. Ils échouent, et le candidat P.S. est seul habilité à représenter la majorité présidentielle. Mais l'affaire n'est pas réglée pour autant : le radical de Nogent-le-Rotrou, toujours soutenu en

sous-main par quelques notables socialistes, dépose sa candidature, imité dans deux des trois autres circonscriptions du
département, dont celle de Dreux, par d'autres radicaux.

Pendant la campagne, certains socialistes (et notamment
l'épouse du maire de Chartres – ancien ministre des gouvernements Mauroy et Fabius) appellent à voter pour le candidat radical dans la troisième circonscription, celle de
Nogent-le-Rotrou. Cela n'empêche pas le candidat du P.S.
d'arriver en tête du ballottage, et d'être élu député le 21 juin.
Dans la circonscription de Dreux, le candidat du M.R.G.
obtient 3 % des voix seulement. Mais la division ouvre une
plaie profonde au sein même du Parti Socialiste, où la candidature radicale a reçu des soutiens actifs.

Au premier tour, la ville de Dreux donne 38 % au P.S. et
4,4 % au M.R.G. Les communistes, pour la première fois,
ont été eux aussi divisés : un candidat rénovateur, soutenu
par les gauchistes, obtient 2,3 %. Le P.C. officiel passe donc
sous la barre des 5 %. Martial Taugourdeau recueille 32,7 %
des suffrages et Marie-France Stirbois 17,7 %. Ce résultat
interdit à la candidate de l'extrême droite de se maintenir au
second tour.

Le Dr Taugourdeau est élu député de la circonscription
avec 55,8 % des voix. A Dreux, il manque 111 voix à la
gauche pour être majoritaire. Le découpage de M. Pasqua a
rempli son office. La division des socialistes a fait le reste.

Septembre 1988 – Les électeurs restent chez eux

Les électeurs se déplacent traditionnellement moins, en
tout cas dans les villes, pour des élections cantonales que
pour des scrutins nationaux ou municipaux. Ils manifestent
cette fois un désintérêt, nouveau par son ampleur, à l'égard

de ce vote, désintérêt qu'on analyse nationalement comme le résultat d'une irritation des citoyens devant le nombre élevé des consultations en cette année 1988. A Dreux, où les deux sièges détenus depuis 1982 par le R.P.R. sont renouvelables, deux électeurs sur trois restent chez eux. Le F.N. présente dans l'un des cantons une adjointe au maire de Dreux, et dans l'autre un de ses colleurs d'affiches. Ces candidats obtiennent respectivement 18,4 % et 11,8 % des suffrages exprimés. Au second tour, le socialiste Maurice Ravanne enlève à la droite le canton de Dreux ouest.

Novembre 1988 – Référendum et accident de la route

Le 9 novembre Jean-Pierre Stirbois tient à Dreux son dernier meeting en faveur du « Non » au référendum sur le statut de la Nouvelle-Calédonie. En regagnant son domicile de Neuilly, vers deux heures du matin, seul au volant, il se tue dans un accident de la route.

Mars 1989 – Matignon fait une « expérience », le Front National crève son plafond

Retour des élections municipales. Cinq listes se présentent au premier tour. Le maire sortant, Jean Hieaux, conduit une liste R.P.R./U.D.F. Marie-France Stirbois, qui sent que son parti a le vent en poupe et veut faire la démonstration de sa force, prend la tête d'une liste du Front National. Les gauchistes décident une nouvelle fois de se compter. L'élément nouveau vient de l'éclatement des socialistes. Ils sont présents sur deux listes. A la liste « officielle » P.S./P.C., dirigée par le nouveau conseiller général Maurice

Ravanne, s'oppose, en effet, une liste dite « Autrement ». Celle-ci s'inscrit dans le droit fil de la liste « apolitique » des élections municipales de mars 1983. A sa tête, un dissident du P.S. qui a été battu à l'investiture devant la section socialiste. En dernière position, Marcel Piquet, le vaincu socialiste de septembre 1983. Entre la tête et la queue de cette liste on trouve une petite dizaine de socialistes, « rocardiens » pour la plupart, des C.D.S. en rupture de ban, des « socioprofessionnels » parmi lesquels un ancien candidat R.P.R., des radicaux et même un ancien candidat de la liste du Front National de 1983. Leur mot d'ordre : « Non aux partis. » La diversité des horizons des candidats, alliés pour la circonstance, ne leur permet pas de se recommander de la majorité présidentielle. Ce qui ne les empêche pas, dans les réunions, de revendiquer... mon héritage. Et de faire savoir en privé qu'ils bénéficient de puissants soutiens et qu'à Matignon, notamment, on est attentif à leur démarche...

La division des socialistes retient davantage l'attention que la candidature de Marie-France Stirbois, qui fait désormais partie du paysage politique local. A gauche, c'est le désarroi. Les militants et les sympathisants sont déchirés. Les électeurs de gauche hésitent entre la perplexité, le découragement et l'écœurement. Nombreux sont ceux qui menacent de ne pas aller voter, voire même de donner un avertissement à la gauche en mettant un bulletin du Front National dans l'urne.

Le 10 mars 1989, Jean Hieaux obtient 34 % des voix. Vient ensuite la liste P.C./P.S. de Maurice Ravanne avec 22,7 % des suffrages. La liste Stirbois se situe immédiatement derrière, avec 22,2 %. La liste « Autrement » est en quatrième position avec 19,1 % des voix. La liste d'extrême gauche recueille 2 %.

La liste de gauche et la liste « Autrement » vont-elles

fusionner? Ensemble elles totalisent 41,8 % des voix. Ensemble elles peuvent, en cas de triangulaire (gauche-droite-extrême-droite), l'emporter. Le maire de Dreux ne fait aucun effort pour conclure, comme en 1983, une alliance avec le Front National. Au contraire, il parie sur le maintien des trois autres listes. Sa sérénité laisse à penser qu'il dispose dans la liste « Autrement » d'alliés qui s'opposeront, jusqu'au bout, à la fusion. Il gagne ce pari calculé puisque la liste conduite par le dissident du Parti Socialiste se maintient. Les socialistes drouais, qui ont vainement lancé des appels à la négociation, m'ont demandé de tenter une démarche auprès du cabinet du Premier ministre. On ne m'a pas prise au téléphone... Des journalistes qui ont interrogé le cabinet de Michel Rocard sur la situation drouaise me rapportent la réponse d'un proche du Premier ministre : « A Dreux on fait une expérience »... Curieuse expérience et terrain curieusement choisi !

Seuls les gauchistes disparaissent par la force des choses. Quatre listes s'affrontent donc au second tour. Situation insolite... La liste « Autrement » reçoit, entre les deux tours, le soutien du député-maire socialiste de Chartres – qui cette fois ne se sert pas de son épouse pour faire savoir ce qu'il pense –, du maire de la commune de Vernouillet, l'ancien député socialiste Maurice Legendre, et du sénateur C.D.S. Jean Cauchon. Ensemble ces notables et leurs amis lancent, sur papier glacé, un appel aux électeurs drouais où l'on peut lire ces mots : « Aucune compromission avec les partis politiques. » Triste concession à l'idéologie ambiante de la part d'hommes qui appartiennent à des formations politiques auxquelles ils doivent leurs carrières ! La confusion est à son comble. Le soutien de notables socialistes à une liste dissidente ne modifie cependant ni les forces respectives ni l'ordre d'arrivée des listes concurrentes. Leurs scores restent en définitive ceux du premier tour.

Avec seulement 35,7 % des suffrages exprimés, le maire sortant obtient la majorité absolue des sièges au Conseil municipal, c'est-à-dire la mairie jusqu'en 1995. Marie-France Stirbois n'est parvenue ni au premier, ni au second tour à rassembler autant de voix que Jean-Marie Le Pen aux présidentielles de 1988. Mais elle a obtenu, en pourcentage des suffrages exprimés, le score le plus élevé que le F.N. ait jamais atteint à Dreux.

L' « expérience » tentée par Matignon est à certains égards concluante : l'ouverture quand elle s'apparente à la confusion profite à la droite et nourrit l'extrême droite, ainsi que l'abstention.

Juin 1989 – Troisième force politique dans la ville

Marie-France Stirbois a décliné la (mauvaise) place que le président du Front National lui a offerte sur la liste des élections européennes et qui ne lui laissait guère d'espoir d'être élue. A Dreux, la campagne se déroule sans incident. La rituelle manifestation de protestation organisée par l'extrême gauche, la gauche et les associations de défense des droits de l'homme contre la venue de Le Pen n'a pas lieu : celui-ci ne vient pas.

La participation est médiocre : 42,3 %. La liste conduite par Valéry Giscard d'Estaing obtient 27 % des voix. La liste socialiste conduite par Laurent Fabius (22 %) ne distance celle de Jean-Marie Le Pen que de 75 voix. Celle de Simone Veil obtient 8 % seulement. Avec 21,6 % des suffrages exprimés, le Front National est bien devenu la troisième force politique de la ville.

Le Dr Taugourdeau, député de la deuxième circonscription d'Eure-et-Loir, est élu sénateur au mois de septembre 1989. Il convient donc de pourvoir à son remplacement au Palais-Bourbon. Michel Lethuiller, conseiller général d'un des cantons de Dreux, est le candidat R.P.R. Il a été, en 1982, l'un des artisans de la négociation de l'entre-deux-tours des cantonales avec Jean-Pierre Stirbois. C'est lui qui a offert l'hospitalité au secrétaire du Front National et à ses amis pour fêter dans sa commune, le 11 septembre 1983, leur entrée à la mairie de Dreux.

Je ne suis pas candidate. La section socialiste de Dreux a, plusieurs mois plus tôt, alerté la direction nationale du parti de la probabilité d'une élection législative partielle pour savoir quelle était sa position et si elle entendait parachuter un candidat. Pas de réponse. Pas de directives. Les militants socialistes réunis pour la circonstance et encore meurtris par les divisions des municipales à Dreux jouent l'apaisement. Ils désignent mon ancien suppléant, Claude Nespoulous, socialiste d'origine mendésiste, admis par les différentes factions du parti. Son suppléant, un médecin, est le gendre du maire socialiste de Vernouillet qui, aux municipales, a marqué sa sympathie pour les dissidents.

La traditionnelle candidate du Parti Communiste est sur les rangs. S'ajoutent un dissident gaulliste et un candidat Vert. Mais ce n'est pas tout... Au dernier moment, alors que le P.S. avait espéré que son candidat serait soutenu par toutes les composantes de la majorité présidentielle, un militant du M.R.G. entre en lice. Il a été candidat en mars sur la liste « Autrement ». C'est le propre fils du maire de Vernouillet. Une chatte n'y retrouverait pas ses petits...

La candidature de Marie-France Stirbois, elle, n'est pas inattendue.

La campagne se déroule sans outrance apparente et sans violence. La candidate du Front National cultive un côté « bon chic-bon genre », y compris dans son matériel électoral. Celui-ci, tout en étant vigoureusement de droite, évite soigneusement les excès de langage.

De curieux papiers trouvent cependant le chemin des boîtes aux lettres, s'infiltrent dans le courrier des électeurs sans mention d'expéditeur. Ainsi cette feuille ronéotypée, tapée comme « la lettre à Mustapha » sur une mauvaise machine à écrire et qui commence par : « Nous, Algériens et Arabes, nous informons la population judéo-française : Nous haïssons par-dessus tout la France et son peuple enjuivé jusqu'à la moelle... » Le texte se termine ainsi : « La France est déjà à nous : nous l'occupons depuis notre victoire de 1962 et c'est normal. Les Allemands n'ont-ils pas occupé en 40 après leur victoire ? La différence, c'est que nous, Arabo-musulmans, allons l'occuper dé-fi-ni-ti-ve-ment, par nos enfants que nos femmes font naître ici en grand nombre, pendant que vous nous payez pour ça... Chirac a dit : " la France est une puissance musulmane ". Nous irons sodomiser le porc Le Pen dans Notre-Dame de Paris, la cathédrale qui rejoindra bientôt nos 779 mosquées entre Perpignan et Dunkerque. » Provenance et signataire inconnus. En revanche deux lycéens sont interpellés pour avoir distribué aux portes d'un établisssement scolaire un tract signé du « Groupe Action Nationaliste Français » et qui s'achève ainsi : « Israélites, bolcheviques, musulmans, ignobles pourritures! Ecœurée la France vous vomit! » L'affaire sera classée.

Un autre tract, soigneusement imprimé celui-là, qui porte la signature de l' « Association Nationale pour l'Intégration

197

des Immigrés du Tiers Monde, Secteur Seine-Saint-Denis, 75585 Paris Cedex 12 », est également distribué partout dans la circonscription. Il invite les habitants à signaler à ladite association « les logements vacants de leur voisinage » afin d'y reloger des familles nombreuses immigrées actuellement mal logées sur Dreux et sur Vernouillet, qui doivent être accueillies comme elles le méritent, dans le respect des droits de l'Homme et la tradition humanitaire de la France ». Il est, en outre expliqué que c'est grâce à la mise en œuvre du » rapport de Monsieur le Député Michel Hannoun, élu du R.P.R. » que l'accession des immigrés au logement privé va être facilitée, et précisé que ce rapport « approuvé par l'ensemble des députés (P.C., P.S., R.P.R., U.D.F.) sera appliqué malgré l'opposition rétrograde et raciste du groupe Le Pen »... Renseignements pris, l'Association signataire du tract n'existe pas. Mais cela, les électeurs l'ignorent.

Ce qui occupe cette fois la presse régionale, ce sont les dissensions au sein de la droite. En effet, si la gauche socialiste vit une crise ouverte dans le département depuis les élections législatives de 1988, la droite n'a rien à lui envier. Elle est, elle aussi, profondément déchirée. Les élections sénatoriales de septembre 1989 ont été le théâtre d'un règlement de comptes au sein de l'U.D.F., arbitré par le R.P.R. L'U.D.F. ne présente pas de candidat aux législatives partielles. Son soutien au R.P.R. se fait attendre. Maurice Dousset, « patron » départemental de l'U.D.F., choisit de demeurer silencieux et refuse de participer au meeting de fin de campagne du candidat R.P.R. Déchirements internes et règlements de comptes, là aussi. Pour les électeurs, ces micmacs deviennent difficiles à comprendre.

Marie-France Stirbois – dont les journalistes suivent de près la campagne très active – peut décliner, avec la certi-

198

tude d'être entendue, l'un des thèmes cher au F.N. : la « bande des quatre » n'est plus qu'un champ de querelles bien éloigné des soucis des Français. La candidate franchira-t-elle la barre des 12,5 % des électeurs inscrits ? C'est la seule question qui semble intéresser la presse à son propos. Si oui, se maintiendra-t-elle au second tour au risque de favoriser la victoire d'un socialiste ? Personne n'imagine un seul instant que le R.P.R. ou le socialiste puissent être absents du second tour...

Le 26 novembre, Marie-France Stirbois est, à la surprise générale, la seule a franchir la fameuse barre des 12,5 % des inscrits. Moins d'un électeur sur deux a voté. La candidate du Front National arrive largement en tête. Elle obtient dans la circonscription 42,5 % des suffrages exprimés. Le candidat du R.P.R., avec 24,6 % des suffrages exprimés, n'a déplacé qu'un électeur sur dix. Celui du P.S. avec 18,1 % des suffrages exprimés ne représente que 7,8 % de l'électorat. Le candidat Vert, jusque-là inconnu, remporte 4,9 % des voix, plus que le candidat M.R.G. (4,2 %), davantage aussi que la candidate communiste qui descend en dessous de 4 %. Quant au dissident gaulliste, il recueille moins de 2 % des suffrages exprimés.

Dreux, qui place traditionnellement le candidat socialiste en tête des scrutins de ballottage, a donné 49 % à Marie-France Stirbois. Le candidat du P.S. n'arrive qu'en troisième position avec 15,3 % des suffrages, derrière le Front National et le R.P.R. Le candidat socialiste est éliminé (comme l'est, le même jour, celui de Marseille où se déroulait également une élection législative partielle). Celui du R.P.R. est « repêché » par la loi qui veut qu'au second tour il y ait deux candidats au moins.

Le 3 décembre, Marie-France Stirbois est élue députée avec 61,3 % des suffrages exprimés dans la circonscription.

A Dreux, plus de quatre électeurs sur dix ne sont pas allés voter, près de un sur dix a voté blanc ou nul, trois électeurs sur dix ont voté pour le Front National.

Dreux ville extrémiste ?

En 1983, au lendemain du premier tour des élections municipales partielles, les Drouais étaient nombreux sur le marché à discuter, s'interpeller, s'indigner : qui parmi les passants, parmi les chalands, avait bien pu voter pour les « fascistes » ? Un électeur sur dix, ce n'est pas facile à repérer ! Chacun avait bien son idée. On soupçonnait untel ou untel. Mais comment savoir ? Rares étaient les partisans du Front National qui revendiquaient publiquement leur vote, conscients de la réprobation qui pesait sur eux.

En décembre 1989, les électeurs de Marie-France Stirbois ne craignent plus de s'afficher : quand on forme un ensemble de 60 %, on est majoritaire, on revendique hautement son vote. Les militants du Front National sont désormais bien dans leur peau ; les électeurs de l'extrême droite qui se faisaient discrets ne se cachent plus, loin de là.

Qui vote à Dreux pour le Front National [1] ? La question, au lendemain de l'élection de décembre 1989, peut sembler dérisoire. A partir du moment où, dans une ville, un parti recueille 60 % des suffrages, cela veut dire que n'importe qui peut avoir voté pour lui ; cela signifie que

---

1. Deux sondages « sorties des urnes » ont été réalisés dans la circonscription de Dreux le 3 décembre 1989 : « *Figaro* »-IFOP et BVA pour *Libération*. Pour m'être entretenue avec les « sondeurs », j'ai pu mesurer la difficulté de leur travail (très faible participation, difficulté à trouver par conséquent un échantillon représentatif, d'autant que le taux de refus de réponse était élevé). Pour indicatifs qu'ils soient, ces sondages doivent donc être interprétés avec précaution.

lorsqu'on se promène dans la rue, qu'on entre chez un commerçant, qu'on dîne en famille, on rencontre inévitablement des électeurs de Marie-France Stirbois. Un électeur sur trois cela représente beaucoup de monde, en tout cas un électorat. La thèse de l'accident ou celle de la flambée ne résistent pas à l'examen. Un parti, hier si marginal qu'on l'apercevait à peine, a frôlé la majorité des suffrages exprimés au soir d'un premier tour de scrutin dans une ville française de quelque 30 000 habitants. Un parti que ses théories mettaient au ban de la société politique a, en dépit des dérapages verbaux de son leader, de « détail » en « Durafour crématoire », éliminé tous les autres.

Jusqu'à l'entrée en scène du Front National à la fin des années 1970, la géographie politique de la ville était demeurée simple et sans surprises : le centre de la ville votait à droite, les plateaux à gauche. Trois bureaux de vote permettent de cerner les comportements électoraux traditionnels, et leur évolution.

Le quatrième bureau est situé au centre de la ville, sa participation y est traditionnellement élevée et son résultat médiocre pour la gauche. C'est là que votent les vieilles familles de Dreux, les commerçants, les cadres. En 1977, je me souviens d'avoir compris que la gauche allait remporter les élections municipales en y suivant le dépouillement : avec un score supérieur à 34 %, j'avais calculé que la gauche serait majoritaire dans la ville. Or la liste de gauche que je conduisais y obtenait près de 37 % des suffrages. C'était le signe d'un raz de marée que le résultat global ne devait pas démentir : 54,8 % pour la gauche dans la ville.

Le dixième bureau est celui des Chamards. Il n'existe que depuis 1973. Là votent des ouvriers et des employés qui vivent dans les tours des Chamards et les cités H.L.M.

du quartier de la Croix Tiennac. La gauche le considère comme un bureau sûr pour elle, d'autant que ces cités comptent de nombreux militants politiques, syndicaux et associatifs. En 1973, le candidat socialiste aux élections législatives y obtenait 63 % des suffrages exprimés.

Au quinzième bureau votent les habitants de la cité Prud'homme. Le quartier a longtemps été « tenu » par le Parti Communiste. Aux élections législatives de 1967, avec 36 % des suffrages il était le plus « rouge » de la ville, le P.C. devançant la S.F.I.O. de 12 points. Aux élections législatives de 1973 il demeure le bureau où le P.C. obtient son meilleur score (29 %) mais un rééquilibrage a commencé de se produire en faveur du Parti Socialiste qu'il ne distance plus que d'un point. Au second tour la gauche y est largement majoritaire : 66 % des suffrages exprimés.

En 1979, lorsque le Front National fait irruption sur la scène locale, en rassemblant sur le nom de son candidat 9 % des suffrages exprimés, l'extrême droite traverse au plan national un « désert électoral ». En 1982, il ne parvient à présenter dans toute la France – où 1945 cantons sont renouvelables – que 65 candidats. Dans les deux cantons drouais, il accomplit une véritable performance[1] au point que le résultat de 1979 ne peut plus être considéré comme un accident.

Au quatrième bureau le Front National obtient 10 % des sufrages exprimés, au dixième bureau 13,5 %, au quinzième bureau 19,5 %. Une interprétation hâtive des résultats conduit alors à penser que le vote extrémiste est un vote populaire et qu'il y a eu un important transfert du

1. Voir Noma Mayer et Pascal Perrineau, *Le Front National à découvert*, Presses de la Fondation Nationale des Sciences Politiques, 1989.

P.C. vers le F.N. Le P.C. régresse en effet. Par rapport aux élections cantonales précédentes, il perd 5 points au quatrième bureau, 6 points au dixième bureau et près de 17 points au quinzième bureau. Mais la chute du P.C. a précédé l'émergence du F.N. Dès les élections législatives de juin 1981, alors que Jean-Pierre Stirbois obtenait un score dérisoire à Dreux, le P.C. enregistrait un effondrement. La théorie d'un transfert d'un bord à l'autre de l'échiquier politique ne suffit pas à expliquer le vote extrémiste. Entre 1981 et 1982 la gauche dans son ensemble perd 8 % au quatrième bureau, près de 9 % au dixième bureau, 10 % au quinzième bureau, pertes qui se font surtout au détriment du P.S. Le Parti Socialiste qui, entre 1973 et 1981, avait récupéré une partie importante de l'électorat communiste n'est pas parvenu à le conserver. En réalité il semble qu'entre la fin des années 1970 et le début des années 1980, des tranferts en chaîne se soient produits.

Entre les bureaux des plateaux et ceux du centre-ville l'écart entre la droite et la gauche a longtemps reflété deux univers dont la sociologie semblait se traduire nettement au plan politique. L'émergence puis l'affirmation du Front National ont bouleversé les données. En décembre 1989, des écarts entre la droite et la gauche demeurent, mais ils se sont singulièrement resserrés. En revanche l'électorat de Marie-France Stirbois est à peu près également réparti sur l'ensemble de la ville. Sur cent électeurs inscrits, 30 se sont déplacés pour voter F.N. au bureau du centre-ville, 25 aux Chamards, 32 à Prud'homme. Les différences se sont effacées ou presque. La mobilisation de l'électorat extrémiste est pratiquement identique dans les quartiers populaires et dans les quartiers bourgeois, plus forte même dans les quartiers bourgeois que dans le quartier le plus « immigré » de la ville.

En 1989, le centre de la ville reste un quartier bourgeois. Il a toujours ses notables peu expansifs dont certains n'ont jamais caché leur admiration pour le maréchal Pétain, ses vieux habitants d'autant plus conservateurs qu'ils se sentent encerclés par une population nouvelle, ses cadres qui ont acheté un appartement dans une résidence de standing et se demandent s'ils ont fait une bonne affaire. A Prud'homme, il y a longtemps que le directeur de l'école, un actif militant du P.C., est parti prendre sa retraite dans un département du sud de la France. Le Parti Socialiste qui avait recueilli – lorsqu'il était dans l'opposition – l'héritage électoral du P.C. n'y a jamais recruté de militants, tout juste quelques sympathisants. Aux Chamards on a vu la dernière famille d'origine française quitter les petites tours, ultime présence de militants socialistes. Et depuis longtemps, le P.C. a cessé d'y être une force d'intégration. Les quartiers les plus populaires de Dreux ressemblent aujourd'hui à ces quartiers nord de Marseille décrits par Anne Tristan[1] où le Front National a reconstitué sinon des réseaux, du moins un discours commun : celui de la protestation, ou simplement de l'appel au secours.

Mais où sont les militants du Front National ? A Marseille, Anne Tristan les a fréquentés. Elle a montré comment ils avaient reconstitué des lieux de convivialité – même si dans ces dîners, dans ces rencontres autour d'un verre, c'est d'exclusion qu'il est question. A Dreux, le Front National est comme un fantôme. Il n'a que peu de militants identifiés. Il s'est en revanche constitué un électorat dont on ne peut plus dire qu'il est volatile. Cette ascension ne s'est pas produite du jour au lendemain : en douze ans le Front National a été présent dans les qua-

1. Anne Tristan, *Au Front*, Gallimard, 1987.

torze scrutins qui se sont déroulés. A chaque scrutin ou presque il a élargi son audience. En l'espace de onze ans et neuf mois il est passé de 2 % à 61 % des suffrages exprimés, de 307 à 4716 voix.

Une ascension irrésistible. Et exemplaire.

Redécouvrir le citoyen

Les pages qui précèdent retracent l'histoire singulière qui résulte de la rencontre, par essence unique, entre un site et ses habitants. Mais au-delà de la spécificité de la ville de Dreux, ce sont les problèmes de la France de la fin de ce siècle qui se profilent. Ceux d'une société malade comme peut l'être un corps vivant : avec ses symptômes, ses fièvres éruptives, sa demande d'une thérapeutique adaptée.

Une ville comme tant d'autres

La croissance démographique a provoqué à Dreux, dans les années 1954-1974, un traumatisme. Dreux participe alors au mouvement national qui, à partir du lendemain de la Seconde Guerre mondiale, se caractérise par la croissance de la population et une urbanisation rapide : « Cette double rupture du rythme de la croissance globale de la population française et de la part relative de l'urbanisation entraîne des gains absolus considérables pour les villes, écrit le géographe Guy Burgel. En deux décennies, de 1954 à 1975, les seules villes de plus de 5 000 habitants ont gagné près de 13 millions de personnes contre moins de 6 millions en quarante-trois ans, de 1911 à 1954 [1]. » Vitrolles et Bois-d'Arcy, Istres et Trappes, Martigues et Creil... Quelques villes moyennes ont connu une évolution plus calme, mais la liste est longue de ces villages devenus des villes, de ces petites villes devenues des villes moyennes, avec des chiffres qui indiquent, depuis trois ou quatre décennies, une croissance souvent plus spectaculaire que celle de Dreux : Clichy-sous-Bois qui avait 4 500 habitants en 1965 en a 28 000 aujourd'hui! Comme Dreux, d'autres communes ont souffert dans ces années-là d'un *turn over* rapide de leur population : « ... une ville comme Évreux, en Normandie, remarque encore Guy Burgel, caractérise bien ces turbulences urbaines de croissance, faite autant de l'absence de rétention de la population que d'intensité du renouvellement démographique : un tiers des habitants de 1968 n'habitait plus Évreux en 1975, la moitié des habitants de 1975 était de nouveaux immigrants [2]. »

Dans les cités délabrées des plateaux de Dreux s'opposent, depuis une quinzaine d'années, des modes de vie différents, des habitudes culinaires différentes, des pratiques religieuses différentes, des adultes découragés et des jeunes, oisifs, débordants de vitalité... Le trait n'est pas original. Le gouvernement estimait, à la fin de 1989, qu'ils étaient 400, répartis sur tout le territoire, ces quartiers qui relèvent d'un traitement urgent. Les noms de ces cités se ressemblent, comme ils ressemblent à ceux de Dreux, évoquant la campagne, les prairies et les bois que la ville a rongés : Les Bosquets à Montfermeil, les Pâquerettes à Nanterre, le Clos des Roses à Compiègne... A Chanteloup-les-Vignes, au si joli nom, des bandes de jeunes règlent

1. Guy Burgel, « Urbanisation des hommes et des espaces », *in Histoire de la France urbaine, op. cit.* t. 5, p. 141.
2. *Ibid.*, p. 175.

leurs comptes avec celles de leur voisine Achères dans les champs et les terrains vagues qui séparent les deux communes. Et au Val-du-Taureau, ce quartier de Vaulx-en-Velin, l'émeute a grondé, soudaine et inattendue, en octobre 1990. Car on a construit des centaines de villes à la campagne qui n'ont rien de commun avec celles qu'Alphonse Allais, sous forme de boutade, avait imaginées. Qu'il s'agisse de tours, de barres ou même d'immeubles aux formes audacieuses – tel ce rêve d'architecte dessiné par Émile Aillaud à Grigny –, le spectacle de ces banlieues sinistrées des grandes villes et des villes moyennes est effarant. Il donne des cauchemars à ses habitants, à ses élus parfois, et suscite l'exclamation indignée du visiteur : « C'est un crime que d'avoir construit ça ! »

Le procès de cet urbanisme meurtrier est encore loin d'être instruit et ses nombreux responsables poursuivent leur carrière dans l'administration de l'État. La continuité, en matière de centralisation, est, d'un régime à l'autre, surprenante. N'est-ce pas le gouvernement de Vichy qui, en 1943, décide d' « étatiser » l'urbanisme en créant une direction du même nom ? Celle-ci se voit confier la mission de penser la ville et de contrôler son développement. A l'État, désormais, d'établir le moindre plan communal d'urbanisme. La Libération ne rompt pas avec ce système. Bien au contraire. La nécessité de la reconstruction d'abord, la pénurie persistante de logements et le scandale des bidonvilles ensuite, justifient l'implication du pouvoir central. S.D.A.U., Z.U.P., Z.A.D., Z.A.C, P.O.S., villes nouvelles... L'État édicte. Et comme il tient la clé du financement du logement social, il impose les règles de construction, de densification, d'isolation... Sans se donner les moyens de ses fins, dont on ne peut douter qu'elles furent généreuses. Les ambitions « modernistes » de l'État se heurtent, en effet, aux lois du marché foncier : à la fin des années 1960, Gaston Defferre faisait figure pour les uns de dangereux révolutionnaire, pour les autres de doux rêveur lorsqu'il préconisait la municipalisation des sols afin de lutter contre la ségrégation spatiale. Un rêve révolutionnaire que la gauche s'est bien gardée de reprendre à son compte après 1981. L'État a ainsi imposé ses visions successives de la ville, de même que celles de l'aménagement de l'espace et du territoire. La loi du marché a fait le reste : on a construit là où le sol était bon marché, loin du cœur des cités. On a rejeté ailleurs, de plus en plus loin – et c'est ce qu'on continue de faire –, les populations les moins solvables ou simplement les moins fortunées. Sarcelles et les Chamards datent de la même époque.

Les représentants du pouvoir local, tenus en tutelle jusqu'aux lois de décentralisation, doivent-ils pour autant être absous ? Pas tous. Pour un Hubert Dubedout, dont l'exemple grenoblois a inspiré toute une génération d'élus à la fin des années 1970, combien de maires ont mesuré leur puissance à l'aune du nombre de mètres cubes de bitume étalé sur leur territoire, à la hauteur des tours et à la longueur des barres construites dans leurs banlieues ? Dreux n'est qu'une petite ville parmi toutes celles qui expient aujourd'hui les crimes de l'urbanisation française.

La présence d'une importante population étrangère – environ 28 % de la population totale – ne permet pas davantage de singulariser Dreux. Le pourcentage d'étrangers est égal ou supérieur dans de nombreuses villes françaises, et pas seulement dans les grandes métropoles. Oyonnax, dans l'Ain, 22 800 habitants, en compte 7 600 de nationalité étrangère, soit 30 % de la population. Saint-Florentin, dans l'Yonne, 6 700 habitants, 34 % de résidents étrangers. Terrasson en Dordogne a moins de 6 000 habitants et une forte communauté turque. Lodève, dans l'Hérault, quelque 10 000 habitants, peu d'étrangers mais près de 2 000 maghrébins arrivés en 1962, des harkis devenus lodevois que les vieux habitants du lieu continuent de regarder comme des étrangers. Mantes-la-Jolie dénombre 40 % d'étrangers... On pourrait ainsi égrener les bourgades, les villes moyennes, les cités-dortoirs construites aux portes des centres urbains, les quartiers de Paris (la Goutte d'Or, 57 % d'étrangers, le XIIIe arrondissement où s'est constitué le *chinatown* de la capitale...) qui surclassent Dreux.

Les effets de la crise à Dreux doivent, de la même façon, être replacés dans le contexte national. Depuis le début des années 1950 jusqu'au premier choc pétrolier de 1973, croissance urbaine et prospérité ont marché de pair. La croissance globale masque alors celle des inégalités. Les mutations sociales qu'implique le développement industriel de type fordiste, qui fait passer une partie importante de la population du village à la ville et de la terre à la chaîne, sont compensées par l'entrée dans la consommation de masse et l'espoir de la promotion sociale, sinon pour soi-même au moins pour ses enfants. Lorsque la tendance se retourne, c'est tout naturellement « la ville et ses prolongements (qui) sont, d'abord, le théâtre principal de la crise économique », écrit Marcel Roncayolo en conclusion de l'*Histoire de la France urbaine*[1]. Dreux, dans sa région, passe alors pour particulièrement atteinte par la récession. Pourtant son taux de chômage n'a jamais dépassé de beaucoup la moyenne nationale, et « sa » crise aura été sans commune mesure avec ce qu'ont connu les villes du Nord, des Vosges, de

1. *Op. cit.*, p. 639.

Lorraine, frappées de plein fouet par une désindustrialisation massive.

Dreux anticipe et la France suit

Soit, dira-t-on, Dreux n'est pas ce cas exceptionnel que, sous le feu de l'actualité, on a voulu décrire. Pourtant c'est là, et non dans une autre ville, que s'est produite en 1983 la percée du Front National. En 1989, c'est Dreux qui a envoyé Marie-France Stirbois au Palais-Bourbon. Ne faut-il pas, dès lors, chercher les causes de ses débordements extrémistes dans le microclimat politique local? L'hypothèse, séduisante, a prospéré. La gauche qui a géré la ville de 1977 à 1983 serait responsable de l'émergence, à Dreux, du Front National en septembre 1983. Michel Kajmann dans *Le Monde* avançait alors «l'effet Gaspard»[1] pour expliquer les 16,7% de la liste Stirbois. Lionel Stoleru, dans un face-à-face télévisé que j'eus avec lui, reprenait et développait cet argument[2] : Dreux aurait «inventé» *ex nihilo* le Front National. Sans Dreux, celui-ci n'existerait pas. Toujours selon Lionel Stoleru alors membre virulent de l'opposition, le maire de Dreux que j'étais alors aurait été le «créateur» de ce parti. Six ans plus tard, l'élection de Marie-France Stirbois dans la deuxième circonscription d'Eure-et-Loir dont Dreux est le centre serait, de la même façon, le résultat de la défaillance des «politiciens» locaux; ceux de la droite qui a géré la ville depuis 1983, et dont le candidat (R.P.R.) a été laminé par la candidate de l'extrême droite; ceux de la gauche également, dans la mesure où le Parti Socialiste

1. *Le Monde*, septembre 1983.
2. *Antenne 2*, 17 mars 1984.

n'est pas parvenu à se hisser jusqu'au second tour des élections législatives partielles de l'automne 1989. Il est plaisant, pour l'anecdote, de remarquer que le même Lionel Stoleru, désormais ministre du gouvernement de Michel Rocard, avait apporté son soutien, au nom de l'ouverture, à une candidature M.R.G. qui précisément empêcha le candidat socialiste d'atteindre les 12,5 % des électeurs inscrits...

Cette hypothèse à la fois « localiste » et politique au sens le plus étroit qu'on donne à ce mot se heurte immédiatement à deux questions. La première : une ville est-elle coupée du reste du pays ? Plus précisément, les élections à Dreux obéissent-elles aux seuls « effets locaux » ? La seconde : comment a-t-il été possible qu'ailleurs qu'à Dreux, des Français votent massivement pour l'extrême droite ? Autrement dit, un résultat électoral se propage-t-il comme une épidémie ? La réponse est « non », bien entendu. Deux fois « non ».

L'évidence s'impose : Dreux anticipe, et la France suit. Les consultations partielles qui ont suivi celles de Dreux à l'automne de 1983 ont confirmé la poussée du Front National. A l'occasion des scrutins nationaux qui se sont déroulés ensuite, de 1984 à 1988, les résultats de l'extrême droite à Dreux sont passés inaperçus. Le Front National était désormais présent partout et d'autres villes, Mulhouse, Arles, Béziers, Aulnay-sous-Bois, Antibes, Aix-en-Provence, Perpignan, Avignon, Roubaix, Tourcoing, Toulon, Vénissieux, sans parler de Marseille... lui accordaient, d'élections européennes en élection présidentielle, des scores comparables ou supérieurs à ceux qu'il obtenait à Dreux.

Dreux se serait bien passée de mettre au jour, la première, une tendance de fond de l'électorat, d'autant qu'elle a, en la précédant, « exagéré » cette tendance nationale. Seul le hasard des circonstances paraît être à l'origine des scores drouais. Ces circonstances méritent qu'on s'y arrête.

L'ancrage du Front National – incarné de surcroît dans la personne du Secrétaire général de ce parti – n'est pas indifférent à l'amplification locale du vote extrémiste. Lorsque Jean-Pierre Stirbois s'est présenté à la tête d'une liste municipale, il n'était pas un nouveau venu. Candidat aux élections locales et nationales à quatre reprises au cours des cinq années précédentes il était, en outre, conseiller municipal sortant, le R.P.R. l'ayant, quelques mois plus tôt, légitimé en le faisant figurer sur la liste d'opposition à la gauche. L'alliance contractée par la droite avec le Front National en septembre 1983 au second tour de scrutin a achevé de banaliser cette formation, faisant d'elle un acteur reconnu du jeu politique. A Dreux, échelon modeste mais significatif, le Front National est donc passé précocement de l'opprobre à la respectabilité.

Dreux n'est pas un îlot coupé du monde. Les Drouais, comme tous les Français, écoutent la radio, regardent la télévision, lisent les journaux. Ils sont contribuables, usagers de la S.N.C.F., parents d'élèves, fonctionnaires, salariés du secteur privé, travailleurs indépendants ou chômeurs, propriétaires ou locataires... Leur situation, leurs conditions de vie sont d'abord celles des Français. Ils sont également partie prenante des débats franco-français qu'ils suivent et commentent au bureau, à l'usine, au café, et à propos desquels, bien entendu, ils se divisent.

Revoyons le filon des événements. A la rentrée de 1983, la France est morose. Les élections municipales du printemps ont été la première consultation nationale depuis la victoire de la gauche en 1981. Elles ont révélé, comme c'est souvent le cas dans ce type de scrutin qualifié d'intermédiaire puisque sans enjeu national, la volonté des électeurs de donner un avertissement au gouvernement en place, en l'occurrence celui de Pierre Mauroy. L'état de grâce n'est plus qu'un souvenir. La méthode et le discours de la nouvelle majorité ont d'abord surpris, et bientôt irrité même ses électeurs. La frénésie réformatrice ne s'est pas traduite par des améliorations de la vie quotidienne, d'autant plus que de l'euphorie redistributrice de la première année de gestion de la gauche, on est passé, avec le plan de stabilisation de Jacques Delors, à la rigueur. Dès le début de l'année 1982, de scrutins partiels en élections cantonales, la gauche, déjà, reflue. Le résultat des élections municipales du mois de mars constitue ce que Henry Tincq qualifie alors de « changement de gouvernement à blanc [1] ». L'avertisssement jette le trouble au plus haut niveau de l'État : faut-il de nouveau changer de politique économique ? Après quelques jours d'hésitation, c'est l'option du renforcement de la rigueur qui l'emporte. En septembre 1983, les électeurs, à leur retour de vacances – au cours desquelles ils ont été contraints de limiter leurs déplacements à l'étranger pour cause de strict contrôle d'achat des devises –, trouvent dans leur courrier leurs feuilles d'impôts et leurs bulletins de salaires, ces derniers bloqués depuis plus d'une année. Or Dreux vote le 4 et le 11 septembre...

Six ans plus tard, lorsque les électeurs de la deuxième circonscription d'Eure-et-Loir sont appelés à désigner leur député, la France se déchire à propos du « foulard ». Le refus d'un principal de collège, à Creil, d'accepter dans

1. Henri Tincq, « Raisons et conséquences d'une sanction », *in Revue Politique et Parlementaire*, avril 1983.

son établissement trois petites filles portant le foulard islamique embrase le pays. Le ministre s'est prononcé pour l'accueil des enfants à l'école et pour le dialogue avec les familles. Des intellectuels, du haut de la montagne Sainte-Geneviève, comparent l'attitude de Lionel Jospin, ministre de l'Education nationale, à celle de l'Angleterre et de la France en 1938 démissionnant face à Hitler. Ils n'hésitent pas à évoquer un « Munich scolaire ». Le ministre, en raison d'une déclaration dont la maladresse dans l'expression – plus que dans le fond – traduit l'embarras, provoque leur indignation. Pendant quelques semaines, les clivages traditionnels s'évanouissent. La droite et la gauche ne servent plus de repères. A quelle branche se raccrocher? Elisabeth Badinter et Jean-Marie Le Pen – pour des raisons évidemment différentes! – plaident pour l'interdiction du foulard à l'école. Danielle Mitterrand et Alain de Benoist disent, chacun de son côté, que le port du foulard ne constitue pas une atteinte aux lois de la République. Deux mouvements de jeunesse, S.O.S.-Racisme et France-Plus, polémiquent publiquement et leurs leaders s'invectivent. Au sein du Parti Socialiste lui-même, en pleine préparation d'un congrès où tous les coups sont bons pour capter le vote des militants, pro et anti-Jospin se déchirent. Le tintamarre est devenu assourdissant, incompréhensible pour les électeurs qui ne savent plus à quel camp se vouer. Et cela sur fond de grève des fonctionnaires des impôts, de malaise dans la fonction publique, d'insatisfaction sociale dans le monde ouvrier.

Au même moment, le mur de Berlin tombe sous la poussée d'un peuple dont, soir après soir, les télévisions répètent qu'il s'affranchit avec courage de la tutelle d'un parti totalitaire. Aussi paradoxal que cela puisse paraître, le vote de Dreux et les événements en Allemagne de l'Est ne sont pas sans lien : la glorification par les médias de l'affranchissement d'un peuple autorise toutes les évasions. Pourquoi ne pas signifier, à Dreux, qu'il n'y a plus d'interdit dès lors qu'il s'agit d'exprimer un mécontentement, voire une colère qui n'a pas d'autre expression possible ? Tout simplement en mettant dans une enveloppe, le secret de l'isoloir aidant à sauter le pas, un bulletin qui, jusque-là, était frappé d'une sorte de tabou. Or, justement, en glissant dans l'urne le bulletin « interdit », on « punit » les autres candidats, on leur donne « une leçon ». N'ai-je pas entendu des sympathisants socialistes me dire : « Eh bien oui, j'ai voté Front National! Parce que j'en ai marre de vos c... et qu'il faut, d'une façon ou d'une autre, que vous le sachiez! » Les responsables du R.P.R., je suis prête à en prendre le pari, ont entendu, mot pour mot, la même phrase sortir de la bouche de leurs amis.

Le contexte social, politique et médiatique dans lequel se sont déroulées les élections partielles de novembre et décembre 1989 a vraisemblablement contribué à amplifier les succès du Front National à Dreux, à Marseille et ailleurs en France où des électeurs étaient dans le même temps appelés à se prononcer. Il n'en reste pas moins que ses résultats, dimanche après dimanche, dans d'autres élections partielles, ne cessent de progresser. Partout ou presque. Entre décembre 1989 et mars 1990 le Front National gagne ainsi, dans des élections cantonales, 7 points à Tourcoing, 9 à Mulhouse et Clichy-sous-Bois, 10 à Villeneuve-le-Roi, 12 à Marseille, 16 au Puy, 19 à Bordeaux... Avant comme après Carpentras, l'ascension se poursuit.

Un scénario qui ressemble à celui dont Dreux a été le théâtre en décembre 1989 s'est joué au mois de juin 1990 à Villeurbanne. Dans ce scrutin, la gauche, simplement, a pris la place de la droite : au second tour d'une élection cantonale partielle, deux candidats restent en lice, celui du F.N. et celui du P.S. Celui du R.P.R. est hors jeu. Quelques mois plus tôt, le Parti Socialiste (qui s'était trouvé à Dreux dans la situation où, cette fois à Villeurbanne, se trouve le R.P.R.) avait été secoué de convulsions. Chaque leader national du P.S. avait alors prodigué ses recommandations aux électeurs socialistes de la circonscription de Dreux. Les uns pour dire que tout devait être fait pour battre la candidate d'extrême droite, c'est-à-dire voter pour le R.P.R., les autres pour affirmer qu'il était impossible de voter pour un candidat du R.P.R. et qu'il convenait donc de s'abstenir. Le Parti Socialiste, pour ce canton de Villeurbanne où l'un de ses sièges est en jeu, appelle à la rescousse, cette fois unanimement, l'ensemble des républicains. C'est alors le tour de la droite – il est vrai bien malade – de vaciller. Alain Carignon, qui avait fait le voyage de Dreux en 1983 pour venir soutenir le candidat à la mairie allié au Front National, réclame maintenant un « Front Républicain » contre l'extrême droite et appelle à voter pour la candidate du Parti Socialiste ! Michel Noir, lui, accepte de perdre son âme : en appelant à l'abstention, il renforce, au moins relativement, le camp du Front National.

A Villeurbanne, la candidate socialiste l'emporte. Pour la gauche, Villeurbanne devient « l'anti-Dreux » [1]. De fins stratèges, au sein du Parti Socialiste, rêvent-ils d'avoir découvert la potion magique qu'ils cherchaient ? Pourvu que le candidat de droite soit éliminé au soir du premier tour, la multiplication de « duels » au second tour entre un candidat extrémiste et un candidat de la majorité présiden-

---

1. Selon l'expression de Gilbert Chabrous, maire de Villeurbanne, *Libération*, 19 juin 1990.

tielle assurerait une large majorité de gauche à l'Assemblée nationale. Et pourquoi le même scénario ne se reproduirait-il pas dans d'autres échéances du calendrier politique? Au second tour de l'élection présidentielle ne peuvent concourir que deux candidats. Le Pen serait alors le candidat idéal puisqu'il mobiliserait contre lui, bien au-delà de la gauche patentée, un front démocratique qu'on espère majoritaire. L'euphorie de la victoire socialiste à Villeurbanne fait en tout cas oublier que, dans ce scrutin, le candidat du Front National, un universitaire qui fait profession de relayer les thèses de Faurisson, a obtenu 37 % des suffrages exprimés. Ce qui n'est pas rien!

Faute ou pathologie?

Depuis 1983, le Front National monte, monte... A qui la faute?

La question revient, lancinante. La réponse pèse son pesant d'éditoriaux, d'articles de revues, de polémiques, de discussions de café du commerce. Dans leur désarroi, des démocrates tout aussi sincères les uns que les autres se repassent le mistigri : c'est forcément la faute des autres.

C'est la faute de Dreux : elle a montré le mauvais exemple.

C'est la faute de la droite : elle a multiplié les indulgences et les compromissions coupables à l'égard des hommes et de l'idéologie d'extrême droite.

C'est la faute de la gauche : l'extrême droite était électoralement inexistante avant 1981.

C'est la faute des partis politiques – qu'ils soient de droite ou de gauche – dont les membres, du dirigeant au simple militant, sont coupés de la « réalité » (on ne dit plus des « masses »).

C'est la faute du scrutin proportionnel parce qu'il a permis en 1986 à un groupuscule d'obtenir l'élection de députés à l'Assemble nationale.

C'est la faute des intellectuels qui ont déserté l'agora.

C'est la faute des médias : « ils » ont – et notamment la télévision – donné la parole à Le Pen et permis son ascension dans l'opinion en se révélant incapables de faire autre chose que de le mettre en valeur.

C'est la faute des antiracistes tel Harlem Désir, récemment encore coqueluche des médias, aujourd'hui sous le feu des accusations et, à travers lui, l'Élysée qui a largement financé les « potes ».

C'est la faute, pêle-mêle, des militants associatifs qui auraient déserté le terrain ou qui seraient devenus des professionnels de la prestation de services ; des syndicats devenus étiques ; de la perte du sentiment civique et de la connaissance de l'histoire ; de la montée de l'individualisme ; de l'exacerbation des corporatismes, etc.

Au bout du compte, c'est la faute de tout le monde si le Front National grimpe. Autant dire que ce n'est la faute de personne. Ceux-là mêmes qui furent les plus ardents pourfendeurs du communisme en viennent à regretter la capacité qu'avait le Parti Communiste d'encadrer l'électorat populaire. Les anticléricaux d'hier se désolent de la crise des Églises pour s'inquiéter d'ailleurs, dans le même mouvement, de la montée de l'Islam... L'état du monde, enfin, et l'inéluctable évolution des sociétés post-industrielles sont également tenus pour responsables.

Poser la question de l'extrême droite en terme de « faute » comme le fait aujourd'hui une large fraction de l'opinion atteste que le vote pour le Front National provoque une émotion collective. Parce qu'il fait figure d'anomalie. Or, qui dit anormal se réfère à la morale : « Nous sommes habitués à regarder comme anormal tout de qui est immoral [1] » écrit Émile Durkheim. Pourquoi le vote pour le parti de Jean Marie Le Pen suscite-t-il ce type de réflexe ? Justement parce que, comme Durkheim le montre dans son étude sur le suicide, le développement de ce vote renvoie à une « pathologie collective » : « Si (...) comme nous l'avons établi, le suicide froisse la conscience morale, il est impossible de n'y pas voir un phénomène de pathologie collective [2]. »

Comme le suicide, le vote extrémiste choque violemment la conscience parce qu'il est signe de morbidité. En prônant l'exclusion, la xénophobie, les pulsions racistes et antisémites ; en traitant de l'holocauste comme d'un « détail » ; en « discutant » l'existence des chambres à gaz, le Front National renvoie à une histoire récente dont les Français pétris de culture républicaine pouvaient espérer qu'elle était inscrite au registre du « plus jamais ça ». Au début d'ailleurs, lorsque le Front National a émergé dans le champ politique, rares étaient les observateurs qui croyaient en son avenir. On ne pouvait imaginer que des idées qui avaient conduit à Auschwitz pouvaient recueillir un écho, sinon dans cette « arrière-droite » inexpugnable mais en voie d'extinction ou, à tout le moins, réduite au rôle de survivance d'une idéologie marginale. On a donc commencé par traiter Jean-Marie Le Pen avec légèreté parce que qu'il semblait impossible qu'un parti dont le leader avait justifié la torture en Algérie, déclaré, à l'adresse de Pierre Mendès France : « Vous n'ignorez pas que vous cristallisez sur votre personnage un certain nombre de répulsions patriotiques et presque physiques »,

1. Émile Durkheim, *Le Suicide*, PUF, 1986, p. 413.
2. *Ibid.*

que ce parti-là puisse rencontrer un électorat au-delà d'une frange de dévoyés, nostalgiques du Grand Reich ou de l'O.A.S. Impossible, et pourtant...

Comme le suicide, le vote extrémiste prospère dans un contexte de crise urbaine, de montée de l'individualisme, de vacuum laissé par la disparition des anciens réseaux de convivialité et de solidarité. Comme le suicide, encore, le Front National est morbide dans la mesure où il met en cause la démocratie. Certes, il s'en défend, comme il s'est défendu d'être raciste ou antisémite. Mais de l'exclusion sur des fondements ethniques à la négation de l'opinion adverse, on sait qu'il n'y a même pas la distance d'un pas : c'est la même chose, dans un autre registre.

« Toutes les preuves se réunissent (...) pour nous faire regarder l'énorme accroissement qui s'est produit depuis un siècle dans le nombre des morts volontaires comme un phénomène pathologique qui devient tous les jours plus menaçant. A quel moyen recourir pour le conjurer [1] ? » Cette question que pose Durkheim à propos du développement du suicide dans les sociétés modernes se pose dans les mêmes termes pour l'ascension du Front National. La banalisation de ses idées apparaît comme le symptôme d'une maladie du corps social, une maladie qui peut être mortelle pour la démocratie. Or, dit encore le sociologue, « ou bien le mot maladie ne signifie rien, ou bien il désigne quelque chose d'évitable [2] ».

La France n'est pas la seule nation à être confrontée au mal de vivre en ville et aux phénomènes de ghettoïsation sociale de populations marginalisées par la modernité, rejetées dans ce qu'on appelle le quart-monde. L'Europe développée est tout entière confrontée à l'obligation de lancer

1. *Ibid*, p. 424.
2. *Ibid*, p. 413.

de vastes opérations de sauvetage de ses banlieues urbaines dégradées. Une enquête menée par la Délégation interministérielle à la ville dans dix cités européennes où la réhabilitation des grands ensembles s'impose soulève cependant une spécificité française : la méfiance de l'appareil administratif et politique français à l'égard de la population. Alors qu'aux Pays-Bas ou en Grande-Bretagne, par exemple, des budgets sont mis directement à la disposition des associations de résidents, « en France, le jeu est entre l'État et les collectivités locales, les habitants restent exclus [1] ». A cette différence de taille, qui révèle une difficulté nationale à pousser la décentralisation – c'est-à-dire la démocratisation – à son terme, s'ajoute le lien aujourd'hui établi en France entre la réparation de la ville et la « récompense » électorale : ce lien fait que ce n'est pas le droit à une vie digne dans les quartiers sinistrés qui justifie l'intervention des pouvoirs publics, mais le vote de leurs habitants. On pourrait pourtant espérer que l'État et les collectivités territoriales estiment de leur devoir – en dehors de toute préoccupation électorale – de prévenir la constitution de ces « poches » de misère et d'exclusion sociale. Et lorsqu'ils les ont laissées se créer, de réparer ce qui a été cassé, les dégâts étant autant d'ordre humain que d'ordre matériel. La preuve d'une corrélation entre la réhabilitation réussie d'une cité « chaude » et une décrue du Front National n'a d'ailleurs pas été établie. Et le vote extrémiste, ainsi que l'abstention, même si l'un et l'autre y connaissent des records, ne sont pas uniquement localisés à la « périphérie » de la société, dans ces quartiers qui retiennent tant l'attention. L'un et l'autre envahissent tout le corps social, à Dreux comme ailleurs. On s'abstient et on vote aussi pour le Front National dans les centres

1. *Libération*, 22 juin 1990.

bourgeois des villes et dans les banlieues cossues où les ascenseurs fonctionnent. De même que dans cette zone intermédiaire aux vertes pelouses, où habitent ces « classes moyennes », numériquement majoritaires.

Personne ne conteste qu'il faille réparer les boîtes à lettres et les ascenseurs pour améliorer la vie quotidienne dans les cités ainsi que le préconisait Michel Rocard devant le Parlement en 1988! Mais encore faut-il le faire, et le faire avec intelligence. Les boîtes à lettres et les ascenseurs seront rapidement de nouveau hors d'état si la situation matérielle et morale des habitants de l'immeuble reste la même. L'émeute d'octobre 1990 dans la banlieue lyonnaise, où un quartier, offrant l'exemple d'une réhabilitation réussie, a été mis à sac, le montre bien...

Ce consensus sur les boîtes à lettres et les ascenseurs est, en réalité, à la fois dérisoire et symptomatique de l'évolution du contenu du débat politique français. Si l'on songe que la gauche socialiste, en quelques années, est passée du slogan « changer la vie » à un programme de gouvernement dont le point fort a été, au moment de son investiture, que les ascenseurs montent et descendent, on mesure le chemin parcouru.

La morale civique en panne

La cause principale du développement du suicide, selon Durkheim, vient de la perte du sentiment de solidarité. S'il en est de même du vote extrémiste, le fait que les ascenseurs marchent – même si c'est un progrès – ne peut suffire à l'éradiquer. Parce que le vote est un acte politique, c'est à la société politique d'en traiter.

Aux Pays-Bas, au début des années 1980, les responsables politiques de droite et de gauche, l'ensemble de la presse et la communauté intellectuelle décidaient unanimement de boycotter le député d'extrême droite qui venait d'être élu (pas un article, pas une image, pas un député dans l'enceinte du parlement lorsqu'il prononçait un discours), installant un cordon sanitaire autour d'idées considérées comme non conformes à la morale civique.

La France, elle, témoigne collectivement de son impuissance à isoler Le Pen, malgré les outrances de ce dernier. Non seulement il n'y a pas eu d'accord spontané du corps politique pour le mettre à l'écart, mais ceux qui ont cherché, avec une sincérité qu'on ne peut mettre en cause, à le combattre ont – hélas! – donné en spectacle leur attentisme et leurs divisions. Et Dreux, encore une fois, a fonctionné comme un laboratoire. En mars 1983, au second tour de scrutin, on a vu les militants de gauche être rejoints par de simples citoyens venus de tous les horizons politiques et confessionnels, effarés que sur la liste de droite figure le nom de Jean-Pierre Stirbois. Des tracts ont été rédigés, parfois à la main, sur lesquels figuraient les mots de fascisme, de nazisme et en regard, de démocratie. Des femmes et des hommes qui n'avaient jamais milité ont fait du « porte à porte », et rappelé, sans ciller, ce qu'avait été la guerre, les camps, l'holocauste. Et la droite a été, contre toute attente, battue. La méthode pourtant fut sévèrement jugée, y compris à gauche. Évoquer le fascisme à propos du Front National était disproportionné! Accuser les électeurs de Jean-Pierre Stirbois d'être complices de l'idéologie nazie était ridicule et même dangereux! Attention : il ne fallait pas culpabiliser ces électeurs, mais les comprendre. La gauche soixante-huitarde, celle qui avait peut-être scandé quinze ans plus tôt dans les rues de Paris « C.R.S./S.S. », revenait en force : il était

« interdit d'interdire » et le « droit à la différence » était à la mode...

A Dreux encore, six ans plus tard, une partie de la gauche, privée de candidat au second tour de scrutin, n'a pu se résoudre à voter pour le R.P.R. Cette attitude a fait le jeu des extrémistes. A partir du moment où on considère que le R.P.R. et le Front National, c'est la même chose, le dernier verrou, celui qui permet d'isoler un parti au nom de la démocratie, saute. Le Front National devient un parti comme un autre.

Devant la montée lepéniste, il n'y a pas eu de front commun des intellectuels. Et il fallut attendre Carpentras – cinq ans après qu'un jury eut accordé à Henri Roques, ancien responsable d'un mouvement néo-nazi, une mention « Très Bien » pour une thèse niant l'existence des chambres à gaz – pour que des universitaires décident collectivement .de réagir contre « ceux qui se baptisent révisionnistes et qui ne sont que des falsificateurs de l'Histoire, ou (...) ceux qui soutiennent publiquement l'entreprise de haine xénophobe et raciste qui, sous les couleurs du nationalisme, n'est que la négation des valeurs authentiques de la France républicaine [1] ».

Il n'y a pas eu, non plus, de front commun de la presse, ni au lendemain des premières déclarations antisémites de Jean-Marie Le Pen contre des journalistes, ni après Carpentras lorsque le leader du Front National a convoqué une conférence de presse, à l'heure même où se déroulait la manifestation parisienne contre les violations des sépultures du cimetière juif.

Il arrive même désormais que les associations fondées

1. Les signataires de cet appel lancé par Jacques Le Goff, Michel Broué, François Jacob, Madeleine Rebérioux, Laurent Schwartz et Pierre Vidal-Naquet s'engagent à refuser de siéger dans toute instance scientifique à côté d'universitaires qui professent des idées « révisionnistes », xénophobes ou racistes.

pour lutter contre les idées que véhicule l'extrême droite donnent le sentiment de passer plus de temps et d'énergie à se déchirer qu'à assurer leur mission. Ainsi des polémiques entre France-Plus et S.O.S.-Racisme...

Société civile et politique

Les intellectuels, la presse, les associations, c'est la périphérie du politique. Les élus du peuple, du plus obscur au plus illustre, forment son corps même. Ce sont eux, d'abord, que l'on est en droit d'interpeller sur leur complaisance ou leur impuissance devant la montée de l'extrémisme. En commençant par ceux de gauche puisque c'est la fonction de la gauche que d'exprimer un projet. C'est d'elle, en effet, qu'on attend des propositions sur ce qu'il convient de faire. D'abord parce que derrière le mot de « gauche » on entend, depuis 1789, une vision de l'avenir qui se fonde sur la lutte contre les oppressions du présent. Que mettre aujourd'hui sous sa bannière ?

Devant l'échec du communisme, la social-démocratie se retrouve seule pour incarner et exprimer ce projet d'avenir collectif dont les individus sont appelés à juger dans une démocratie. Il serait vain d'attendre du seul Parti Socialiste la recomposition d'un projet adapté à la sortie de crise. En France, on le sait, il y a un Parti Socialiste mais, à la différence des pays de l'Europe du Nord et de l'Allemagne, il n'a pas, pour des raisons historiques, entretenu de relations organiques avec le syndicalisme, la vie associative ou le mutualisme. Or c'est – ou en tout cas ce doit être – l'essence même du socialisme démocratique que d'être irrigué par la société démocratique. Dès avant 1981, Alain Touraine évoquait (déjà!) la crise de la gauche et mettait en garde ceux qui croyaient qu'elle pouvait « être surmontée par un appel aux partis, lancé par une opinion publique qui se réduit à une masse inorganisée d'électeurs déçus ». Et il ajoutait : « C'est se contenter de bien peu et avoir peur de réfléchir. Il ne faut plus en appeler aux partis mais aux forces qui travaillent la société nouvelle. Les partis politiques ne doivent être que les représentants du peuple. Qui est le peuple aujourd'hui, et quel nom donner à ses ennemis ? La gauche semble avoir peur de sortir de l'antichambre du pouvoir ; elle ferait mieux de regarder vers le bas que vers le haut et de retrouver l'inspiration de tous les mouvements sociaux : lutter avec ceux qui sont opprimés, libérer ceux qui sont emprisonnés, donner l'espoir à ceux à qui on prêche la soumission. Les mouvements sociaux ont et auront besoin d'appui et d'alliés politiques ; mais donnons la priorité au réveil des forces sociales [1]. » La gauche est sortie de l'« antichambre du pouvoir » pour s'installer aux commandes de l'État. Mais elle continue d'être coupée du « bas » et d'en avoir peur. Elle est demeurée sourde aux mouvements sociaux, aux angoisses et aux espérances des citoyens. Or ceux-ci ont d'autant plus besoin qu'on leur prête l'oreille que l'accélération de la ségrégation spatiale a privé d'expression ces zones immenses où la relégation sociale est devenue le lot commun.

Reprocher aux militants politiques ou associatifs d'avoir déserté le « terrain », les tenir pour responsables de la pénétration de l'extrême droite dans ces quartiers revient à confondre les effets avec la cause. Ceux qui formulent ce constat accusateur occupent-ils ce « terrain » autrement que pour le besoin d'une enquête éphémère ? L'histoire de la famille Carré est exemplaire. Peut-on lui reprocher d'avoir

1. Alain Touraine, *L'Après Socialisme*, Grasset, 1980, p. 273.

quitté les Chamards? Quel est le journaliste ou le sociologue qui aurait « tenu » aussi longtemps dans une cité délabrée? Ceux qu'on appelle les « militants » ne sont pas des saints. Ce sont des femmes et des hommes qui ressemblent à tous les autres. Comme ils appartiennent souvent à des couches sociales que la crise n'a pas bloquées, une ascension sociale, même modeste, leur permet de partir ailleurs. En laissant derrière eux des familles qui, elles, cumulent trop de handicaps pour espérer bouger. La « galère »[1], ce monde des laissés-pour-compte décrit par François Dubet, a son vocabulaire, ses codes, ses rites autres que ceux de la société qui parle la langue du journal quotidien, de la télévision, *a fortiori* de l'intellectuel. Le seul bruit que fait encore cette population à l'abandon, c'est son vote. A moins qu'elle ne vote pas, ce qui est le plus courant, ou qu'elle ne vote plus. On commente de façon abondante les 40, 50, 60 %... de suffrages exprimés pour le Front National dans un quartier, dans un village, dans une ville, mais bien peu l'abstention de 40, 50, 60 % des électeurs inscrits. Or l'abstention est, elle aussi, par son ampleur, devenue une forme d'expression politique. Sans compter qu'on ignore le nombre d'électeurs qui devraient être inscrits puisque l'inscription sur les listes électorales n'étant ni automatique ni obligatoire, on ne connaît que le nombre de citoyens qui se sont déclarés comme électeurs.

La FONDA[2], piquée par la mise en cause des militants associatifs, a, pour sa part, commandé à des chercheurs une enquête sur la relation entre les pratiques associatives et la vie politique locale. Point de départ de l'étude : le livre d'Anne Tristan, *Au Front.* « Autrefois, dans les quartiers nord de Marseille, écrit Anne Tristan, les associations

1. François Dubet, *op. cit.*
2. Fondation pour la vie associative.

laïques de gauche proposaient des loisirs divers. Ce réseau, aujourd'hui, a disparu, les lepénistes y tissent le leur [1]. » A Barr, petit chef-lieu de canton alsacien, à la cité des Pins de Vitrolles dans les Bouches-du-Rhône, au Londeau, cité de barres et de tours de Noisy-le-Sec, commune de Seine-Saint-Denis, les chercheurs ont tenté d'établir la relation entre l'évolution de la vie associative et la montée du Front National particulièrement forte dans ces zones. Il en ressort que les difficultés du monde associatif sont directement liées à l'évolution sociale de la cité. Les scores du Front National et même la « convivialité » qu'il paraît apporter ne doivent pas faire illusion : « La faible implantation militante du Front National lui-même, sur ces quartiers, confirme que toute une partie de la population est étrangère au jeu politique, hors jeu. Les processus de déclin économique et de désinsertion sociale, l'urbanisation intensive et ses conséquences, les comportements de repli ou d'enfermement encouragent probablement ce type d'attitude politique, protestataire ici, abstentionniste là [2]. »

Deux termes contradictoires : consensus et démocratie

La gauche, ce n'est pas seulement les partis politiques et leurs militants. C'est aussi, aujourd'hui, un « chef d'orchestre ». Depuis dix ans, la France a, à sa tête, un président de la République de gauche. Si l'on excepte une parenthèse de deux ans, une majorité absolue ou relative de députés socialistes siège à l'Assemblée nationale. Le gouvernement est dirigé par un socialiste. En dix ans, on est passé de l'idée de mission historique de la gauche (vite,

1. *Op. cit.*, p. 85.
2. *Pratique associative et vie politique locale,* FONDA, Lettre d'information n° 72/73, mai 1990.

accomplir des réformes sociales essentielles avant de retourner pour longtemps dans l'opposition) à une gauche installée dans la durée, c'est-à-dire dans la gestion. Il n'y a pas d'inconvénient à ce que la gauche soit devenue gestionnaire, ni qu'elle ait découvert, même si cela a provoqué quelques déchirements, l'existence des contraintes du marché national et international. Mais la politique, ce n'est pas seulement l'économie, même s'il est bon que l'économie se porte bien. Ce n'est pas seulement le social, même s'il est fondamental que l'État corrige, par son budget et ses lois, les inégalités et veille à l'équilibre des rapports entre le capital et le travail.

Les Français, secoués par une longue crise économique, sont devenus au moins aussi réalistes que la gauche en matière économique et sociale. Ils s'en laissent sans doute moins conter qu'il y a dix ans, justement parce qu'ils ont appris à faire et refaire leurs comptes. Nombreux sont ceux qui, en dépit des promesses des uns et des autres, ne retrouvent pas, dans l'addition, ce qu'on leur a promis. Si l'on évacue l'économique et le social, si la droite et la gauche, à tort ou à raison, se rejoignent désormais dans l'opinion, qu'attend-on de la gauche au pouvoir ? La politique justement, c'est-à-dire une mémoire, des valeurs, des comportements, sans oublier une dose d'espérance.

Une mémoire ? Le gouvernement n'en est ni le seul gardien, ni surtout le dispensateur patenté. Il n'en reste pas moins que la mémoire nationale s'exprime à travers lui. Et que c'est lui qui a pour charge d'en fixer et d'en garder les symboles, les dates et les lieux. Cela va moins de soi qu'il n'y paraît. Les couleurs du drapeau ont divisé avant de rassembler et la détermination du 14 Juillet comme fête nationale a longtemps constitué un enjeu idéologique. La décision de Valéry Giscard d'Estaing de supprimer son caractère férié à la commémoration du 8 Mai 1945 a dressé contre lui les anciens combattants, prisonniers de guerre et résistants de la Seconde Guerre mondiale, et le premier geste de François Mitterrand élu président de la République fut de le rétablir. Le premier septennat a été inauguré, le 21 mai 1981, au Panthéon devant trois tombes : Victor Schœlcher, Jean Jaurès, Jean Moulin. La charge d'émotion contenue dans ces noms a fait oublier la théâtralité excessive de l'instant. Dix ans plus tard, qu'est devenue cette mémoire ? Personne ne célèbre la suppression de l'esclavage dont une loi, publiée au *Journal officiel* de la République le 30 juin 1983, a pourtant prévu la commémoration. Une statue de Dreyfus a bien été réalisée par le sculpteur TIM pour être installée dans la cour de l'École militaire, à l'endroit même où l'officier avait été spectaculairement destitué. Mais c'est en vain qu'on la chercherait à l'emplacement prévu. Elle a échoué, en raison de la fronde de quelques officiers, dans un coin du jardin des Tuileries. Dreyfus attend toujours, alors que dans le même temps les « généraux félons » de la guerre d'Algérie ont recouvré leurs droits à pension.

Jusque dans les pratiques et les comportements, l'identité de la gauche au pouvoir s'efface. On attend d'elle qu'elle « gouverne autrement », c'est-à-dire autrement que la droite. « Et si la grande espérance socialiste allait se gâcher dans l'incurie, les lâchetés et les petits jeux de cour ? Qu'est-ce qu'il en resterait ? » Ainsi s'exprimait, en 1976, le premier secrétaire du Parti Socialiste, François Mitterrand, en homme averti des risques du pouvoir. La gauche a échappé à l'incurie. Il est excessif de penser, comme l'a laissé entendre Laurent Joffrin, dans un brillant essai [1], que ce qui était socialiste n'a pas marché; ce qui a marché

---

1. Laurent Joffrin, *La Gauche en voie de disparition*, Le Seuil, 1984.

n'était pas socialiste. Les lâchetés, qui n'ont pas manqué, ne peuvent effacer les libertés qui se sont étendues. Mais les « petits jeux de cour » se sont développés à l'ombre des palais officiels dans lesquels la nomenklatura socialiste a pris des habitudes jusqu'à être atteinte par le syndrome de la voiture officielle. Au Danemark, un ministre a vu sa carrière brisée après avoir fait retarder de quelques minutes un bateau pour convenance personnelle. Les Français n'ont pas la culture démocratique des peuples de l'Europe du Nord. Ils tolèrent les privilèges et s'accommodent des entorses à l'égalité. C'est du moins une opinion répandue. Est-ce si vrai ? Qui n'a remarqué, à Paris, que la commémoration du bicentenaire s'est abîmée dans le spectacle des embouteillages que traversaient des éminences, grandes et petites, toutes sirènes hurlantes ? A cela s'ajoutent les remugles de scandales financiers qui menacent d'altérer l'idée même de démocratie en salissant l'image et l'honneur des élus et des partis. Marc Bloch, sous l'occupation, s'interrogeait sur « l'étrange défaite » de 1940. Comment Vichy fut-il possible ? « Notre machinerie de partis exhalait, écrit-il, un parfum moisi de petits cafés ou d'obscurs bureaux d'affaires [1] ». De non-lieux en amnistie, la gauche, impuissante à donner un statut aux élus de la République et à parler clairement du coût et du financement de la démocratie, fait courir au pays le risque de tomber sous la coupe de démagogues. Ceux-ci, de Boulanger à Le Pen en passant par les dirigeants des Ligues des années trente, entonnent immanquablement l'air de l'antiparlementarisme. Aujourd'hui, le Parlement étant bien peu de choses dans le système politique, et la politique se faisant à la télévision, l'antiparlementarisme est devenu de l'antipartisme, incarné par Le Pen quand il dénonce une « bande », celle

1. Marc Bloch, *L'Étrange Défaite*, Gallimard, rééd. 1990, p. 189.

des « quatre ». L'argument porte d'autant plus que les dirigeants de l'État et les partis, sur fond d'atonie politique, apparaissent comme un monde à part, « une classe » coupée du reste de la société. Or la démocratie est exigeante : elle demande à être servie par un personnel vertueux – à tout le moins soumis aux mêmes lois que les autres citoyens – et porteur d'utopie.

Quelles que soient les déceptions objectives ou symboliques qui se sont accumulées pendant le premier septennat ; quel que soit le trouble ressenti aux propos du Premier ministre Laurent Fabius sur Jean-Marie Le Pen qui, selon lui, poserait de « bonnes questions » ; quel que soit le goût amer laissé par certaines « affaires », du *Rainbow Warrior* au Carrefour du Développement, les Français ont voté massivement le 8 mai 1988 et élu François Mitterrand pour un second septennat. Ils venaient de subir deux années de cohabitation entre un président de la République socialiste et un Premier ministre R.P.R., au cours desquelles la droite idéologique était revenue en force. La campagne des présidentielles a été un moment de choc droite/gauche, valeurs contre valeurs. François Mitterrand a d'ailleurs donné le ton le 22 mars, au journal télévisé d'Antenne 2 où il a annoncé (après un long suspense) qu'il serait candidat. « ... Je veux que la France soit unie, et elle ne le sera pas si elle est prise en main par des esprits intolérants, par des partis qui veulent tout, par des clans et des bandes... Je fais allusion de façon très claire aux partis, aux groupes, aux factions dont l'intolérance éclate tous les soirs dans les propos qu'ils tiennent... » La fermeté des paroles et du ton a secoué un ciel politique où le consensus était devenu une obsession. Si, à gauche, des esprits chagrins pouvaient encore douter que c'était là l'ouverture en fanfare d'une campagne gauche contre droite, les éditoriaux du lendemain matin dans la presse de droite indiquaient que le coup avait porté et qu'il convenait de resserrer les rangs. Quand le président sortant a dénoncé, avec conviction, les atteintes portées depuis 1986 aux libertés et à la dignité des immigrés... quand il a rappelé à ses amis du Parti Socialiste qu'il demeurait, lui, favorable au droit de vote des résidents étrangers... quand les événements calédoniens ont fait le reste, François Mitterrand, décidément, incarnait la sauvegarde de l'honneur démocratique.

Deux ans plus tard, que sont devenues ces valeurs qui ont fait voter tant de Français? Pendant la campagne électorale de Dreux, en novembre-décembre 1989, le candidat du Parti Socialiste, dans le souci de rassembler, a adopté un profil bas par rapport à son appartenance socialiste. Et le candidat du R.P.R. a emprunté son discours au Front National. Dès lors il n'y avait plus, pour la masse des électeurs – c'est-à-dire pour ceux qui sont éloignés des appareils militants –, de lisibilité de l'enjeu entre la droite et la gauche. Seul le Front National devenait parfaitement identifiable et offrait une cohérence apparente. Le spectacle que les partis politiques ont donné d'eux-mêmes en Eure-et-Loir était en vérité une caricature de ce qui se jouait à Paris : la confusion installée à gauche depuis l'apparition du thème de l' « ouverture » et le silence du gouvernement sur les questions sociales avaient brouillé les cartes. La difficulté des socialistes à définir des perspectives, les luttes de personnes au sein d'une l'opposition déchirée et sans programme n'ont rien arrangé.

On peut, à juste titre, s'indigner des connivences, des alliances de la droite dite « classique » avec Jean-Marie

Le Pen ou ses amis. Se scandaliser de l'aveu de Charles Pasqua lorsqu'il reconnaît partager les « valeurs » du Front National. S'inquiéter des lettres aimables que Valéry Giscard d'Estaing adresse à son leader et de son vote au Parlement européen contre la levée d'immunité parlementaire lorsqu'il s'est agi de soumettre à la justice l'auteur du « bon mot » sur Michel Durafour. L'extrême droite n'est jamais que la droite extrême. Peut-être l'a-t-elle toujours été. Y compris depuis la Libération. Le général de Gaulle, qu'il est à la mode de célébrer, a utilement dédouané les conservateurs en faisant oublier que Vichy et la collaboration ont constitué, pour eux, une revanche sur le Front Populaire, voire sur la Révolution de 1789. La droite, lorsqu'elle est dans l'opposition, a en outre tendance à se radicaliser et cela d'autant plus qu'elle accepte difficilement l'alternance politique. Au printemps de 1990, le même week-end se tenaient à Nice le congrès du Front National et à Villepinte, dans la banlieue parisienne, les assises de l'opposition sur l'immigration. On serait bien en peine de dire où les propos les plus xénophobes ont été tenus. Attendre le ralliement à la « majorité présidentielle » d'hommes et de femmes qui, au sein de la droite, ne partagent pas les « valeurs » du Front National est un objectif louable. Mais qui ne mène pas très loin. Michel Noir – qui se réclame d'une morale – appartient toujours au même parti que Charles Pasqua. Bernard Stasi, sympathique centriste dont les positions sur l'immigration sont aux antipodes de celles de Le Pen, persiste à se situer dans l'opposition de droite aux côtés des élus alliés de Jean-Marie Le Pen, en dépit du très mauvais moment qu'il a passé à Villepinte.

Que la droite, y compris celle qui est qualifiée de « modérée », manifeste de la complaisance à l'égard de l'extrême droite est un signe préoccupant de l'état de la

France. Cela signifie que les « valeurs authentiques de la France républicaine » – auxquelles des universitaires ont fait appel pour isoler les négateurs du génocide – ne sont pas partagées par tous les partis qui se réclament, y compris dans leur sigles, de la République et de la démocratie. Plus inquiétant est que l'ensemble du système politique français, gauche comprise, se soit déporté vers la droite en adoptant un vocabulaire et des thèmes imposés par ce qui n'était il y a dix ans qu'un groupuscule contenu aux lisières de la République. Contenu justement parce qu'il incarnait la négation de l'idée républicaine. Le président de la République parle de « seuil de tolérance ». Le Premier ministre dit aux peuples qui souffrent de faim que la France « ne peut accueillir toute la misère du monde » et le gouvernement continue de soutenir en Afrique les régimes dictatoriaux. Le Parti Socialiste enfin, pour permettre au Premier ministre de tenir à Matignon une table ronde sur le racisme, élabore un communiqué qui sonne comme un abandon du projet d'extension des droits civiques aux résidents étrangers... Renoncer, en rase campagne et dans des conditions déshonorantes, à un combat qui s'inscrit dans la lutte pour l'approfondissement de la démocratie à travers une nouvelle définition de la citoyenneté locale, c'était désorienter encore un peu plus militants et sympathisants. Philippe Boucher, dans *Le Monde,* a mis le doigt sur la plaie : « Pauvre Parti Socialiste ! écrit-il. Déjà qu'il était sans crédit pour orienter la politique du gouvernement, voilà qu'il lui est interdit de rêver.... On savait depuis belle lurette que la droite inspirait la politique économique du gouvernement. C'est maintenant l'extrême droite qui dicte ses conditions à propos des étrangers. Car s'il est vrai que c'est la droite qui réclame cet engagement contre le droit de vote des étrangers (mais du gouvernement et non pas du

Parti Socialiste), c'est bien entendu sous la pression de l'extrême droite dont elle est, notamment sur ce point, le porte-parole apeuré. La stratégie des dominos continue d'animer la politique française, et M. Le Pen a, concrètement, sur le gouvernement, plus d'influence que le principal parti qui le compose [1]. »

Dans les années 1880, la République, en France, l'a emporté sur la monarchie et le conservatisme. A l'initiative de Léon Gambetta, ce fils d'immigré italien, défenseur de la patrie et de la République, les républicains ont habilement utilisé les divisions du camp monarchiste pour vaincre les tenants de la contre-révolution, et subtilement joué sur le clavier parlementaire. Mais à aucun moment ils n'ont remisé leurs convictions. C'est au contraire parce qu'ils les ont affirmées, par le discours et la pédagogie, que la République a triomphé. Une République ouverte aux ralliements, certes. Une « France unie », en termes politiques, certainement pas : la démocratie suppose le choix, donc le débat contradictoire. C'est cela son essence. « Il est bon, il est sain, écrivait Marc Bloch dans la clandestinité, que, dans un pays libre, les philosophies sociales contraires se combattent librement. Il est, dans l'état des sociétés, inévitable que les diverses classes aient des intérêts opposés et prennent conscience de leurs antagonismes. Le malheur de la patrie commence quand la légitimité de ces heurts n'est pas comprise [2]. »

La contre-révolution ne menace plus. Les antagonismes sociaux ne sont plus perçus dans les sociétés postindustrielles comme le moteur de l'histoire. La gauche ne se définit plus comme représentant une classe contre une autre, mais uniquement comme l'adversaire de la droite.

1. *Le Monde*, 26 mai 1990.
2. *Op. cit.*, p. 194.

Une droite qui, en France, s'allie occasionnellement à l'extrême droite parce que son seul objectif est, inversement, de battre la gauche. Les électeurs français, de droite et de gauche, réduits à déléguer leurs pouvoirs à des représentants au discours flou, de plus en plus entaché de concessions sémantiques à l'extrême droite, voient l'élection comme un rite qui les concerne de moins en moins. Ni la droite, ni la gauche ne peuvent apparaître comme des adversaires politiques si, derrière ces mots, il n'y a pas des valeurs visibles, un projet exprimé, des pratiques claires que l'on approuve ou que l'on condamne. Jean-Marie Le Pen, lui, prospère parce qu'il désigne aux électeurs un adversaire facilement identifiable : l'autre, l'étranger, l'immigré qui est dans les murs.

Mais comment expliquer qu'ailleurs en Europe l'extrême droite demeure marginale ? Ces pays ne sont pas forcément des républiques. Ils ne se revendiquent pas comme la patrie des droits de l'Homme. Ils possèdent en revanche une culture démocratique fondée sur le respect du citoyen qui implique une mise en pratique de son rôle dans la cité et dans la nation.

Ainsi aux Pays-Bas, encore. Une révision de la constitution concernant la citoyenneté politique est en préparation. La seconde. La première, en 1983, avait permis le vote et l'élection des étrangers au niveau local. La seconde doit élargir ce droit aux élections nationales. Le débat sur ce sujet – qui en France exacerbe les passions – est, pour les Néerlandais, essentiellement centré sur la recherche, toujours difficile, de la participation la plus parfaite possible des habitants à la vie politique du pays. La réaction de l'ensemble du système politique à l'extrémisme, qui a consisté dans ce pays non à légiférer pour interdire l'expression partisane d'un parti xénophobe mais à élever une digue civique autour de ses idées, est à mettre en relation avec cette volonté d'associer à la désignation des représentants du peuple tous ceux qui sont des citoyens de fait. Parce qu'ils vivent dans le pays. Asseoir la citoyenneté sur la résidence et non sur la nationalité va de soi dans une Europe dont la population est le produit de la terre européenne ainsi que des anciens empires coloniaux [1].

Considérer que résider dans la commune, y travailler, payer des impôts locaux et nationaux donne le droit de participer aux choix politiques est une évolution en quelque sorte naturelle. Mais cela ne suffit pas à faire fonctionner la démocratie. Encore faut-il que les institutions aient confiance dans chaque citoyen, qu'elles lui donnent le sentiment qu'il est, dans la commune d'abord, au-delà de la désignation de ses représentants dans les assemblées délibérantes, acteur de son propre destin et non sujet de l'État. Aux Pays-Bas comme en Grande-Bretagne, même sous le gouvernement de la très conservatrice Mme Thatcher, c'est aux habitants, on l'a vu, qu'est délégué l'argent public pour la réhabilitation et l'aménagement des quartiers en crise. La reconnaissance des droits et de la dignité des gens implique, en retour, la mise à l'index de tous ceux qui contestent ces droits et cette dignité. Le débat entre la gauche et la droite n'en est pas amoindri. Les valeurs démocratiques, en revanche, y sont si « naturelles » que la gauche comme la droite la plus conservatrice en sont, consensuellement, les garantes.

La montée de l'extrême droite n'est pas un défi lancé à la politique politicienne. La conjurer ne relève pas non plus de calculs tactiques. Si Jean-Marie Le Pen parvient à faire

1. En Grande-Bretagne, les immigrés originaires du Commonweath qui résident dans le Royaume sont à la fois électeurs et éligibles.

du rejet de l'étranger, du juif, du « métèque », un paravent de son idéologie, c'est parce que la droite et la gauche, c'est-à-dire la France parlant au nom des Français, sont incapables de démasquer collectivement ce qu'il y a de morbide pour la collectivité nationale dans l'entreprise extrémiste. La fonction du politique est, face à cet enjeu vital, d'instituer, en France, la démocratie. Autrement dit de redécouvrir le citoyen, de restaurer ou d'installer, dans le quartier, dans la ville, dans l'État, l'égalité de droits face à la chose publique. Le défi est énorme pour que du « chef d'orchestre » à l'auditeur du dernier rang passe un même courant. Un courant qui fonde une solidarité à partir d'une conviction partagée : celle de participer, à égalité de droits et de devoirs, à un destin commun, dans la commune comme dans la nation. Gambetta et les républicains de la République Troisième ont rallié la France à l'idée républicaine. C'est chose faite. Le « ralliement » aux valeurs de la République reste cependant à parfaire : un siècle plus tard, la démocratie n'a pas encore pénétré les esprits et les mœurs des Français. Il appartient à ceux qui se réclament des forces de progrès de relever ce défi.

Pour y parvenir, il conviendra qu'ils aient de la mémoire sans succomber, toutefois, à la nostalgie. La France de la fin du XXe siècle est à la fois celle d'Émile Durkheim et celle du Raï. L'archaïque et le moderne se mêlent. La société pyramidale est toujours là, mais les signes d'une société mosaïque ont fait leur apparition. Le monde ouvrier se délite, mais survit encore une réalité de l'exploitation. L'État-nation demeure, mias il est fragilisé par la circulation des hommes, des capitaux, des informations. L'exigence de démocratie dans les villes est désormais indissociable de celle qui est ressentie dans un espace qui dépasse les frontières nationales.

Les habitants de nos cités ont aujourd'hui une mémoire qui intègre au message de Jules Ferry sur l'égalité des chances, celui délivré par François Mitterrand à Cancun sur la dignité et le droit des peuples. Ils croient à la justice et au droit : on n'a pas en vain répété que la France avait la paternité de principes proclamés comme universels.

Même si la petite ville de Dreux fait irrésistiblement penser à cette petite ville allemande qui en 1933 accordait au parti nazi les deux tiers des voix de son électorat ; même si les glissements idéologiques d'aujourd'hui présentent des ressemblances troublantes avec ceux de la République de Weimar... le pire n'est jamais certain.

A condition que ce qui se passe là, au cœur de la France, soit entendu comme un cri, comme un appel.

Table des matières

Revisiter Dreux   15

   I. Des « accourus » dans la ville   27

  II. Le creuset et la crise   81

III. Une irrésistible ascension   147

Redécouvrir le citoyen   207

DU MÊME AUTEUR

MADAME LE..., Grasset, 1979.

LA FIN DES IMMIGRÉS, *en collaboration avec Claude Servan-Schreiber*, Le Seuil, 1984.

MAURICE VIOLLETTE, HOMME POLITIQUE ET ÉDITORIALISTE, Edijac, 1986.

Composé et achevé d'imprimer
par la Société Nouvelle Firmin-Didot
à Mesnil-sur-l'Estrée, le 22 octobre 1990.
Dépôt légal : octobre 1990.
Numéro d'imprimeur : 16037
ISBN 2-07-072157-4/Imprimé en France

50759